Née en 1972. Après le bac, direction l'école Estienne où Véronique Ovaldé passe un BTS édition, une façon comme une autre d'entrer dans le milieu littéraire lorsque l'on ne fait pas partie de ce cercle très fermé. Elle reprend des études de lettres par correspondance, travaille comme chef de fabrication et publie en 2000 un premier roman, *Le sommeil des poissons*. En 2002, elle signe, avec *Toutes choses scintillant*, une seconde œuvre remarquée. Elle publie en 2005 *Déloger l'animal*, une œuvre incontournable de la rentrée littéraire. Dans son roman à la fois sombre et merveilleux, *Et mon coeur transparent*, paru en 2008, Véronique Ovaldé réussit à nouveau à créer un univers singulier. Son dernier roman a été récompensé par le Prix France Culture-Télérama.

Déloger l'animal

Véronique
OVALDÉ

Déloger l'animal

ROMAN

1

Je la regardais s'effondrer dans son fauteuil. Elle avait l'œil vague, fixé sur l'écran de télé. Elle n'arrivait pas à s'intéresser à ces menus appareils électro-ménagers que l'on tentait de la convaincre d'acquérir au prix de sacrifices (serrons-nous la ceinture), et au prix d'abandons (oublions nos âmes que nous voulions élevées). Je suis sûre qu'elle ne faisait qu'épier son propre reflet dans l'écran, stupéfaite de son immobi-lité, agitant par moments les doigts de sa main droite pour vérifier qu'elle pouvait encore bouger. Elle restait là, les chevilles croisées sur le coussin – celui avec une multitude de miroirs cousus ramené par Monsieur Loyal, souvenir d'aéroport plié en douze dans sa valise à roulettes, efforts suants et jurants pour le rendre microscopique, pour ramener à sa femme un cadeau, une attention, un presque rien, un « j'ai pensé à toi le dernier jour avant de poster les cartes ».

J'étais debout dans l'encadrement de la porte, j'ai ajusté l'attache de la cape autour de mon cou, je me suis drapée de sa soie noire – doublure rose fuchsia, pas discret discret, mais c'est tout ce que j'avais trouvé, un déguisement vampire, je n'avais pas voulu des dents malgré leur effet saisissant, je voulais juste cette cape noire à doublure rose pour pouvoir m'envoler plus facilement, je voulais juste une cape de soie dans laquelle m'entortiller quand ma mère avait ce visage mort et ces yeux perdus et jaunes presque transparents.

Je me suis drapée dans ma cape de soie noire doublée fuchsia, j'ai ouvert la fenêtre, j'ai grimpé sur le rebord et, sans un dernier regard pour ma si jolie mère grillée, je me suis jetée dans le vide.

I

2

Quand Rose a rencontré mon père, mon gentil père, le directeur de cirque, quand Rose a rencontré son Monsieur Loyal, elle était déjà enceinte de moi.

Mais elle avait le ventre si creux – les os magnifiques de ses hanches créaient comme une bassine en leur milieu –, elle avait le ventre si creux que mon père ne me soupçonna pas. Il mit, au bout d'un certain temps, ses mains sur les os de ses hanches et il lui dit, tu as un ventre si plat et si long, tu as un ventre de jeune fille stérile – mon père, Monsieur Loyal, ne peut pas avoir dit quelque chose comme ça, ma mère me rapportait ses paroles mais il m'est impossible de croire qu'il ait pu prononcer cette phrase, c'était un homme sans malice, un homme qui ne donnait pas un sens infini aux choses, il était comme un miroir de poche, objet pratique avec étui skaï rouge à glisser dans sac à main, rien à voir avec les armoires à pharmacie dont on peut placer les volets à miroirs l'un en face de l'autre et observer ainsi l'infinitude.

Elle me disait, il m'a parlé de mon ventre de jeune fille stérile, elle se mettait à rire et ses yeux luisaient, te rends-tu compte ?

Je me rendais compte.

Et je me sentais très légèrement blessée, à cause de ce ventre si plat qui avait trompé le jugement de mon père.

Mais ma mère ne riait pas pour se moquer de lui, elle écarquillait les yeux comme surprise de tant d'innocence, comblée par l'ingénuité de son directeur de cirque. Te rends-tu compte, te rends-tu compte ? répétait-elle. (Maman répétait souvent les phrases trois fois. Ces tierces rythmaient ses conversations comme une régulation mystérieuse.)

Je ne lui répondais jamais, je me levais de ma chaise, défroissais ma cape et lui disais en soupirant, je vais faire pipi, ou alors, je vais manger un petit gâteau. Et j'allais chercher dans le buffet un paquet de biscuits, je l'ouvrais en faisant beaucoup de bruit, carton, arrachage, décorticage, papier cristal, déchirage et émiettage, partout sur le carrelage. Puis grignotage d'écureuil, étouffement et sons adéquats. Elle comprenait pourquoi je produisais tout ce raffut – pluie de miettes sur Formica, déglutition, limonade glougloutant dans le verre et pétillant dans mon œsophage, microbruit d'explosions, multiplication et pulvérisation –, alors elle faisait, pardon pardon pardon, elle me souriait et ajoutait, de toute façon ton père je l'adore. Et quand elle disait cela je ne savais jamais de quel père elle parlait, du directeur de cirque ou de celui qui m'avait déposée avec sa bite au fond du corps de ma mère – et j'imaginais qu'il avait dû déposer des dizaines d'autres enfants dans des ventres de femmes, j'aurais pu être un garçon noir dans un ventre tout noir, c'est ça que j'imaginais à propos de mon autre père – celui qui n'était pas directeur de cirque –, je l'imaginais spécialisé dans l'engrossement des filles.

Ça me laissait songeuse.

3

Quand mon père a rencontré Rose, mon père, le vrai, celui avec la bite, il s'est dit, cette fille est une beauté fatale. Il n'y avait que lui pour s'en rendre compte. Quand il l'a aperçue il lui a semblé avoir surpris quelque chose qui luisait au fond d'une cavité, quelque chose qui aurait palpité comme un cœur d'oiseau. Il a regardé passer ma mère, il l'a regardée passer et repasser dans la cour de l'école – fallait-il y voir une invite dans la répétition de ce trajet ou ne s'agissait-il pas plutôt d'une mécanique propre aux muscles des cuisses et des mollets de ma mère ne faisant qu'accompagner sa méditation et n'ayant strictement rien à voir avec le garçon qui se tenait sous le préau, un garçon jeune et arrogant au point qu'invisible, mais conscient devant l'indifférence princière de ma mère pas encore mère de ses propres jeunesse et arrogance.

Elle portait des habits récupérés et réajustés – mais qui gardaient la trace de leur forme précédente avec la fidélité d'un matelas qui conserverait l'empreinte d'un corps. Il s'est senti déchiré et moite, c'est ce qu'il a pensé, putain je me sens déchiré et moite, mais il a continué d'attendre sous le préau en roulant ses cigarettes, qu'il roulait si parfaites qu'il les revendait sous les marronniers.

Mon futur père n'est pas tout de suite allé la voir. Il a patienté plusieurs semaines. Il voulait juste la regarder passer devant lui. Il se demandait comment elle faisait pour être si attirante alors qu'elle ne portait pas les Converse rouges que tout le monde devait porter, alors qu'elle n'arborait pas le sac de sport en plastique kaki obligatoire pour les filles, alors qu'elle ne discutait avec aucune autre gamine à propos de musique pop et de palmarès (la plus belle fille, la station de ski la plus branchée, la fréquence radio la plus cool, tout était sujet à catalogage), mon père la regardait en s'interrogeant, ce qui lui faisait pressentir dans ses propres profondeurs des abysses insoupçonnés, il se sentait piégé donc nerveux, il avait l'impression d'être une sonde spatiale qui foncerait à des milliers d'années-lumière dans l'obscurité la plus terrifiante, une sonde qui passerait tout près de ma mère mais qui serait dans l'incapacité d'interrompre sa propre course à la mort, mon père s'inquiétait d'avoir ce genre de pensées, il essayait par tous les moyens de se plaquer au sol, le nez dans le gazon, pour cesser de penser à cette fille comme à autre chose qu'à une fille sapée n'importe comment et un peu branque. Il se disait, elle vient de Milena elle aussi, comment ai-je fait pour ne jamais la voir, j'ai dû aller à l'école avec elle quand j'étais gamin, comment ai-je fait pour presque la louper, mon père ne comprenait pas bien ce qui lui avait tout à coup dessillé les yeux, si c'était lui qui était sorti d'un long sommeil de pierre ou si c'était elle qui s'était métamorphosée.

Il a continué à se poster chaque jour au même endroit, contrebandant ses clopes sur mesure et veillant, se passant avec régularité et anxiété la main sur le crâne qu'il portait rasé comme il se devait.

Il s'est même dit à cette époque, c'est une fille que je pourrais emmener dans ma cavale. Il y pensait, à cause de l'imagerie grands espaces, Thunderbird, guitares saturées et stations essence à dévaliser en plein désert.

Ne pas lui parler directement lui semblait la meilleure méthode pour, avec un rien de constance, tisser un lien avec cette créature.

Il a juste essayé de se renseigner en arborant une désinvolture de détective mais ressentant aussi la satisfaction inquiétante de parler d'elle le plus souvent possible, même à des quasi-inconnus du lycée – et parler d'elle le remplissait de gratitude –, il n'a rien récolté de probant, on lui a rapporté qu'elle était lesbienne mais c'était une réputation couramment prêtée aux jolies filles un peu distantes.

Mon père avait quinze ans.

Si Rose l'avait regardé en passant sous le préau, elle aurait peut-être remarqué l'intensité de sa présence, elle aurait peut-être pensé, il me plaît ce type-là avec son air de mauvais garçon. Mais Rose ne remarquait ni ne pensait à personne. C'était juste une princesse, avec son hennin et ses voiles, sa traîne de huit mètres et ses bracelets tintinnabulants aux poignets.

4

Cet été-là, nous avons passé beaucoup de temps, maman Rose et moi, sur le toit de l'immeuble où nous habitions avec Monsieur Loyal rue du Roi-Charles. Nous logions au nord de Camerone sur un flanc de colline, le flanc d'une des cinq collines de Camerone. La ville, comme la lave, dévalait les pentes pour s'agglutiner sur le rivage. Les immeubles de la ville haute étaient blancs, vertigineux et vétustes, témoignant de l'activité balnéaire de l'endroit en des temps plus cléments. Longtemps Camerone avait été une station de villégiature aux hivers doux et floraux qui attiraient les belles et leurs messieurs fortunés. Puis la population aisée s'était raréfiée – lui préférant des cieux plus exotiques sans doute – et une multitude populaire avait envahi la côte durant les longs étés irrespirables de Camerone.

J'aimais vivre à Camerone parce qu'on y sentait l'iode et le monoï bon marché, parce que sa disgrâce prolétaire lui conférait une sorte de langueur décadente – les vieilles de Camerone arboraient encore des ombrelles en broderie anglaise sur la promenade du bord de mer et s'offusquaient des filles en paréo coton mélangé qui gloussaient par grappes de trois –, et j'appréciais par-dessus tout la cuisante attaque du soleil pendant l'impressionnante suite des jours bleus de l'été. Je regardais Camerone fumer du haut du toit de notre immeuble de la rue du Roi-Charles, sur cette grande terrasse écrasée de chaleur – quelque chose qui avait trait à la fusion d'un métal, ou alors à un four de souffleur de verre, quelque chose qui modifiait les éléments et les tordait à sa convenance –, je restais près des clapiers parce que j'en goûtais l'odeur et le bruit continu de vie minuscule. Je clopinais sur les dalles disjointes gravillons-pris-dans-béton de la terrasse, je grattouillais la mousse des interstices avec mon index – fascinante détermination du végétal à prendre possession d'un territoire si haut perché –, noircissant mon ongle et l'inspectant avec attention afin d'y détecter un monde infime et reptilien. J'étais en général torse nu, avec une culotte défleurie et une cape noire attachée au cou. Ma sueur créait des paysages salés sur la doublure de ma cape. Je les frottais avec de l'eau et du savon le soir pour que cette foutue cape restât impeccable et opérationnelle. J'avais quinze ans. Mais mon âge n'avait pas de sens. J'étais une très vieille dame à l'intérieur – une dame pleine de sagesse, disait maman –, quelqu'un qui savait raisonner, qui paniquait à l'idée du nombre de centimètres qui lui restait à vivre, une dame avec une très ancienne mémoire et des moments de grande confusion. Et vu de l'extérieur j'étais une grosse petite fille qui ne comptait ni grandir, ni avoir ses règles un jour, ni devoir sérieusement penser à aller plus régulièrement à l'école – dans une école normale s'entend. (Maman aurait ajouté, tu n'es pas grosse, tu n'es pas grosse, tu n'es pas grosse, tu as un sex-appeal de folie, fais-moi confiance.)

J'apercevais l'horizon, un horizon de toits terrasse, un bric-à-brac d'antennes de télé, de paraboles, de réservoirs d'eau, de jardins clandestins avec bambous, barricades, bassines pour récupération pluie acide, chaises, caisses repose-pieds, frigo pour bières, générateur turbinant nuit et jour, il y avait aussi les chats errants, les mouettes, les sirènes et les essoufflements du port, le bruit des rues qui montait jusqu'à nous par spasmes paresseux. Je me disais toujours, ils pourraient bien tous mourir en bas, ils pourraient bien tous attraper la peste, je n'en saurais rien avec mes lapins.

Les lapins étaient tapis à l'ombre de la cheminée, ils bénéficiaient de petits ventilateurs pour leur assurer un minimum d'air, pour qu'ils ne tournent pas de l'œil et continuent de scruter l'horizon toit terrasse tout devant.

Nous nous entendions à merveille, les lapins et moi.

Ils arboraient des couleurs chatoyantes, certains portaient le poil long et duveteux, tant et si bien qu'on pouvait croire qu'ils étaient flous, d'autres avaient l'œil torve ou aveugle et se multipliaient dans l'obscurité. Nous étions envahis par les petits lapins. Alors pour parer à l'invasion – et de ce fait à notre propre élimination –, nous les mangions et, afin d'acheter l'indulgence des habitants de l'immeuble de la rue du Roi-Charles, nous les dépecions et offrions nos écorchés à nos voisins récalcitrants. J'aimais bien manger mes lapins. Ne croyez pas que ça me rendît triste. Ça me permettait de rester toujours avec eux.

La majeure partie de mon temps, je la passais sur la terrasse près des lapins que j'allais bientôt manger, assise sur une petite chaise en bois rouge, m'appliquant à choper un éclat d'océan entre deux bâtiments. Je me laissais complaisamment brûler la rétine quand j'apercevais un tel éclat – sa fulgurance fonçait vers mon œil, miroitait et m'envoûtait, c'était mon trésor qui me brûlait les yeux et me grignotait le nerf optique.

Maman ne restait pas aussi longtemps que moi sur la terrasse, elle vaquait à ses affaires, elle montait par moments pour me signaler qu'elle sortait, qu'elle partait à la boutique, ou que mon goûter était prêt, je la voyais qui surgissait par la trappe, elle était très belle,

elle portait un joli sac à main en plastique qui luisait comme si elle l'avait frotté la nuit entière avec un chiffon de feutrine. Parfois elle me demandait, je ne suis pas un petit peu beaucoup trop maquillée ?, et je niais en secouant la tête, alors même que je devinais que mon avis n'avait aucune importance, parce que je ne connaissais rien aux femmes ni aux atours des femmes, je ne connaissais que ma terrasse, l'institut où j'étais parquée certains soirs et le trajet que je faisais parfois seule entre la terrasse et l'institut susdit. Je lui étais reconnaissante de m'interroger. Je la regardais partir, j'espérais alors que je lui ressemblerais un jour.

Je laissais le goûter se perdre et dégouliner sur la nappe de la cuisine ou bien parfois j'allais le chercher et me poissais en remontant sur la terrasse.

C'étaient encore d'interminables vacances d'été.

Je n'étais pas obligée de penser à l'Institut où j'allais devoir rentrer bientôt, mon école spéciale comme ils disaient, père et mère, je les entendais en parler à Madame Isis ou à une autre voisine, ils disaient, la petite va dans une école spéciale, et ç'aurait pu être une école pour surdoués ou une école pour fous furieux, les gens ne posaient pas de questions, ils souriaient en hochant la tête comme s'ils comprenaient mais leurs yeux trahissaient une certaine forme de panique, ça les effrayait que ni mon père ni ma mère ne s'étendissent sur cette histoire. Je les regardais faire et je me disais, est-ce que mes parents ont honte ou bien est-ce qu'ils sont fatigués d'expliquer et préfèrent penser en soupirant, comprendra qui voudra.

Quand le crépuscule venait, je me penchais du haut du toit pour regarder les têtes des gens qui passaient tout en bas. Les ombres cyan du soir avaient l'air humides vues d'ici, la rue était si profonde et si éloignée de la clarté intense de ma terrasse, je percevais le tangage et le chuintement des voitures, j'essayais de repérer la perruque de maman. Je restais là à attendre dans une immobilité étudiée – si je bouge tout foire – en épiant son retour – si je bouge elle ne reviendra pas. J'entendais monter des fenêtres ouvertes de notre immeuble des grésillements de parlotes radiophoniques ou bien de moelleuses bossas-novas qui sortaient directement de chez Madame Isis. C'est alors que je voyais maman tourner au coin de la rue, elle avait toujours son sac à main en plastique ciré qui étincelait et puis des cabas dans lesquels il y avait du lait, des céréales, des légumes qu'une vieille dame qu'elle connaissait lui donnait, et peut-être de la viande pour le directeur du cirque mon père. C'est sûr, c'était bien elle dont la chevelure flamboyait tout en bas, elle marchait vite, elle ne bougeait pas trop sa tête qui était d'une blondeur de poupée, j'entendais presque ses talons claquer, j'attendais qu'elle s'engouffrât dans l'immeuble, les talons de ses chaussures étaient invraisemblables, elle disparaissait sous le porche, ils étaient d'une hauteur périlleuse, je crois que l'homme qui les avait dessinés s'était dit, si une femme arrive à les porter, je l'épouserai, elle aura le pied parfait pour ma chaussure parfaite. Je dégringolais de la terrasse pour aller à sa rencontre, je déboulais sur le palier avant elle, j'attendais que l'ascenseur clanguât et m'avertît qu'elle était arrivée à bon port, elle poussait la porte avec son épaule, elle était magnifique, je me demandais toujours à ce moment – au moment où je la voyais surgir devant moi avec sa perruque blonde, ses talons qui m'affolaient et les cernes sous ses yeux –, je me demandais toujours pourquoi elle avait eu une fille comme moi puisqu'elle était si magnifique.

5

Je m'appelle Rose comme ma mère.

Pas Rose *bis*, pas Deuxième Rose, pas Bouton de Rose, pas Rosalie, Rosette, Rosa Niña, Seven Sisters Rose ou Rosa Gallica, non je m'appelle simplement Rose, comme elle.

Je crois que c'est mon père qui a choisi de me nommer ainsi. Mon père le directeur du cirque. Je ne veux pas savoir, je n'ai jamais voulu savoir, je ne fais que deviner la raison pour laquelle je m'appelle comme ma mère.

Et chaque fois que j'y pense, je me sens sombrer dans un long puits de fraîcheur, avec le fond du puits tout au bout, le fond glissant à cause de la mousse et de l'humidité de roche qui me pénètre les os des chevilles et les bronches. Je pose mon cul sur les champignons rouges qui s'effritent en dégageant une odeur de coquillages.

Je reste assise dans ce territoire ombreux avec le grand cercle du ciel au-dessus de moi. Je respire avec précaution et je me répète : je m'appelle Rose comme ma mère.

Je savais que maman venait d'un endroit beaucoup plus au nord que Camerone. Elle m'en parlait, et même parfois elle l'évoquait à ses amis – ceux qui venaient le soir quand Monsieur Loyal n'était pas là. À moi c'était sur un ton très doux et avec une voix lente, comme s'il s'agissait d'un conte avec une forêt, une clairière et au beau milieu de la clairière, en son centre géographique et stratégique, une chaumière en guimauve toute poudrée de sucre glace. Avec ses amis elle pirouettait et plaisantait sur la chaleur de Camerone, les « tropiques », disait-elle toujours, elle évoquait les lacs et les sapins et la neige, elle secouait la tête et fronçait le nez en parlant des palmiers bien alignés sur le front de mer de notre ville.

Elle disait, chez moi, il y avait une mine d'or.

Elle disait, la petite ville où nous habitions, enclavée entre les montagnes, s'appelait Milena, elle était traversée par une rivière, une rivière qui était d'abord un torrent dégringolant du col, qui s'assagissait en passant sous les ponts de pierre de Milena et qui reprenait son cours lunatique plus en aval.

Elle disait, tous les hommes travaillaient à la mine d'or. Mon père avait travaillé à la mine d'or et mes deux frères également quand ils furent en âge de quitter l'école. Il y avait d'abord eu des mines dans la montagne, le long de la rivière, avec des canons à eau et de gros engins mécaniques qui plongeaient leur nez dans le fond de la rivière pour creuser le lit millénaire. Et plus tard, quand l'or eut disparu des montagnes, les hommes sont descendus dans la vallée, ils ont foré des puits de sondage et découvert qu'il y avait encore beaucoup d'or à obtenir de cet endroit, alors ils se sont installés là, un peu bric et broc au départ, dans des cabanes de fortune et puis ils ont fini par amener leurs femmes. S'édifia un village avec une église, une mairie, des écoles, et puis bientôt ce fut une ville, avec un stade, une gare et des trains qui venaient régulièrement déposer des gars avides d'or. Les hommes ont creusé des bassins qu'ils ont remplis d'une solution cyanurée, ils ont extrait le minerai et l'ont laissé reposer dans les bassins bleus, ils ont fait sécher le métal dans des fours, façonné et pesé des cylindres d'or sale, ils les ont emmenés à la fonderie à deux cents kilomètres de là et ils en ont fait des lingots 9999 – purs à 99,99 %. Les hommes savaient qu'un jour il n'y aurait peut-être plus d'or, ils disaient, le métal est rusé, il n'y a pas plus roublard que l'or, ils habitaient dans cette vallée, scrutant le fond des bassins cyanurés, avec leurs grosses bottes, leurs gants, leurs imperméables, ils regardaient les oiseaux tomber quand ils passaient au-dessus des bassins, mais ça ne leur faisait ni chaud ni froid, ils secouaient la tête et disaient, ça finira peut-être bientôt, profitons-en, n'oubliez pas, l'or est un métal retors.

Maman racontait par petits bouts. Ces souvenirs de la mine d'or enthousiasmaient tout le monde. Certains de ses amis lui demandaient où était Milena, et elle disait, il n'y a plus d'or maintenant, inutile d'y aller, c'est fini, le métal est parti, ça la faisait rire qu'ils trouvent son histoire romanesque, ils la regardaient en buvant et se disaient, je suis sûre qu'ils se disaient, quelle chance nous avons qu'elle soit descendue de ses montagnes, quelle chance qu'elle soit venue jusqu'à nous.

Maman Rose secouait sa chevelure fausse et l'un d'entre eux, vautré dans le fauteuil de Monsieur Loyal, buvant le gin de Monsieur Loyal, caressant l'avant-bras de la femme de Monsieur Loyal, lui disait, retire ta perruque ma douce, tu vas finir par bouillir là-dessous, parce qu'il ne pouvait imaginer ce qu'il y avait sous cette perruque, il croyait que c'était une coquetterie, le rustre, il croyait que sa vraie crinière était filasse et rousse et qu'elle se préférait blonde et chevelue, il ne pouvait penser qu'artifice, l'incongru. Elle refusait évidemment d'ôter sa perruque, elle le faisait très gentiment d'ailleurs, en secouant la tête et en souriant, ne semblant pas même en vouloir à l'incongru de sa demande, lui pardonnant sa curiosité avec ce battement d'ailes de ses paupières qui disaient, comme je suis loin de vous, je fais ce que je peux mes amis, mais je suis si loin de vous, elle refusait, maman Rose, parce qu'elle ne pouvait pas leur montrer son crâne et la peau de son crâne, elle ne pouvait pas leur montrer l'hémisphère gauche et sa surface martienne, l'épiderme brûlé à la couleur tendre comme l'intérieur d'une bouche.

À moi elle montrait son crâne supplicié.

Le matin, quand mon père, Monsieur Loyal, était absent, elle arpentait l'appartement en combinaison nylon dentelle couleur chair. Je passais tout à côté pour faire crisser le tissu sous mon ongle.

L'appartement de la rue du Roi-Charles avait quelque chose de noble et décrépit qui lui conférait des airs de vieille fontaine. Il s'étoilait autour du salon – fissures zébrant les murs selon une rythmique rapide et secrète, moulures plâtre et polystyrène aux allures de meringue poussiéreuse – avec une petite cuisine au dallage glacé doux comme une meule de moulin, dans laquelle on eût pu creuser des champignonnières tant son humidité semblait propice à une vie cryptogame. Il y avait ma chambre garde-manger, ma chambre dérobée, porte avec miroir comme celle d'un placard, pression infime du bout des doigts pour enclencher le mécanisme, ouverture lente de ladite porte, quelque chose de clandestin, une planque de temps de guerre ; à l'intérieur, dans l'ombre, mon lit, juste assez de place pour mon lit, un tabouret avec des piles de vêtements entassés et ma radio, petite, grise, dont l'antenne surdéveloppée se tendait vers le grillage de la fenêtre.

Dans l'appartement de la rue de Roi-Charles, il y avait également la chambre de Monsieur Loyal et de ma mère, tout emplie de satin et de douceurs rococo, lit jamais fait – et cet abandon avait quelque chose qui avait bien sûr trait à la luxure –, rideaux de mousseline toujours fermés, mais la chambre donnant sur le zénith, l'endroit était souvent baigné de lumière rose, ma mère ne soulevait les tentures que pour s'accouder au garde-corps au-dessus de la rue et des palmiers, se coupant les ongles avec application à l'aide d'un petit outil brillant, laissant tomber sur les passants très loin en bas les rognures minuscules, chantonnant avec un bruit de gorge par-dessus lequel claquait à intervalles réguliers la pince de son instrument. Clic-clac maman chantonne au-dessus de la rue et son regard plonge sur les doryphores tout en bas.

La dernière pièce de l'appartement était la salle de bains, envahie de flacons de parfum et de crèmes jeunesse éternelle, baignoire pour demi-nain, baignoire sabot, elle appelait ça, une baignoire sabot, alors je me demandais, y a-t-il des baignoires bottines, talons aiguilles, cuissardes, y a-t-il des baignoires au format de mon père ?

Le matin, ma mère traînait les pieds sur le carrelage de l'appartement en trimballant son bol de thé, elle était maquillée, les yeux charbonneux et la bouche vive, mais il faisait si chaud qu'elle ne pouvait s'asseoir, la combinaison lui aurait collé aux fesses, elle restait donc debout, allumant sa cigarette au bout rougeoyant de la précédente, lisant un livre de poche tout corné, un roman guimauve, sur un coin du bar de la cuisine, feuilletant un magazine, ou agitant la télécommande de derrière le bar pour choper le rayon infrarouge et changer les chaînes de la télé, avec un geste autoritaire qui me fascinait et que j'imitais devant le miroir de la salle de bains, elle était là à déambuler derrière les volets clos sans sa perruque et je pouvais tout à loisir, moi assise dans le canapé, me foutant que son skaï me collât aux cuisses et me dessinât des circuits sur la peau, je pouvais tout à loisir étudier son crâne et la peau de son crâne. Elle savait que je l'observais, elle se prêtait au jeu, simulant l'indifférence, ah tu étais là ?, sachant que jamais je n'aurais osé poser la moindre question.

L'avais-je fait petite ? Avais-je demandé, en mettant ma main de bébé sur sa tête, avais-je demandé, c'est quoi ? et elle, me répondant doucement, c'est ma peau brûlée, moi insistant parce que ne comprenant pas, brûlée pourquoi ? et elle, réfléchissant une seconde pour trouver la réponse la plus appropriée, se décidant et brisant là, me disant, dans un incendie, mais ne précisant jamais de quel incendie il s'était agi, semblant avoir choisi cette option comme par fantaisie.

J'avais fini par croire que son crâne avait spontanément pris feu. Elle aurait été là à danser dans sa nouvelle robe rouge et tout à coup la moitié de son crâne aurait pris feu, tout le monde se serait mis à crier et à s'écarter d'elle dans la boîte de nuit pendant qu'elle serait tombée à terre en tourbillonnant et en continuant de brûler.

J'avais le droit de contempler son crâne supplicié mais mon père, Monsieur Loyal, ne le voyait jamais. Je crois que c'était lui qui ne voulait pas. Il se serait détourné si elle avait enlevé sa perruque comme il se détournait dans la salle de bains pour ne pas la voir pisser. Ou bien alors sa peau meurtrie évoquait des pans du passé de ma mère impossibles à évoquer rue du Roi-Charles.

C'était un truc entre nous, un truc de fille (comment rétrécir en mangeant du concombre, comment séduire un homme rien qu'avec la grâce d'un balancement du pied, comment faire monter les blancs en neige même quand on a ses règles), c'était un apaisement de mère (tu me connais maintenant mieux que quiconque), et moi je me disais, je ne connais rien de sa chevelure, je ne connais rien d'autre que la couleur brillante et artificielle de sa perruque de Barbie, ses sourcils noirs sont redessinés au crayon, ils ont une courbure épaisse et symétrique. Elle est là debout dans sa combi en rayonne avec ses sourcils peints et parfaits, elle est là, je la regarde, je l'absorbe, je l'ingère, je veux tout comprendre d'elle, je veux deviner à quoi tient l'infinie grâce de sa posture et l'harmonie de son visage, je me répète, je vais la dessiner et je crée des quadrillages imaginaires qui expliqueraient et conserveraient la perfection de ses traits. J'exige une raison mathématique à sa beauté.

Puis elle mettait sa perruque, elle l'ajustait, avec cette multitude de petits gestes et de délicatesses – boucles derrière oreille, accroche-cœurs et guirlande de cheveux s'échappant du faux chignon, négligé postiche, désinvolture capillaire. Et elle partait à son travail.

Ma mère était vendeuse de bonbons et de glaces sur le front de mer, dans une petite boutique écœurante coincée entre deux palmiers, des palmiers plantés par des planteurs de palmiers, à la courbure étudiée pour donner l'impression qu'ils s'allongeaient vers la mer, qu'ils essayaient de trouver de la lumière et de l'iode, le nez comme à la proue, l'océan droit devant, mais avant l'océan la plage de sable, sable à la couleur convenue, étudiée, ainsi que son grain et sa texture, plage céleste d'un architecte de plages, éprouvée dans le réel par des ingénieurs de plages, et mise en dunes par des terrassiers de plages. Maman détestait cet endroit, elle disait, cette plage ressemble à ma chevelure.

Elle vendait ses glaces comme s'il s'était agi d'une torture raffinée. Quand elle quittait enfin le lieu de son tourment, elle allait à son cours de danse dans une vieille maison prétentieuse, cour intérieure avec pavés disjoints, cui-cui de l'eau qui clapote indéfiniment dans cette odeur de mousse et de marécage (maman disait en souriant, c'est une odeur de tombeau, j'imaginais que c'était de l'humour, parce que je la regardais avec effroi et elle rétorquait, c'est bon, je plaisante, je plaisante, je plaisante). On y trouvait les musiciens, ceux qui venaient rue du Roi-Charles en l'absence de Monsieur Loyal, et des jeunes filles comme des oiseaux, à la grâce emplumée et fiévreuse. Ma mère était la plus âgée et la plus vulgaire – à cause du contraste entre les sourcils et les cheveux – mais les jeunes colombes la regardaient en s'alanguissant, devinant, elles avec moi, des mystères sexuels, des secrets en rapport avec la chair et les hommes.

J'avais parfois le droit de l'accompagner, je n'étais pas tout le temps condamnée à suer sur la terrasse avec mes lapins en humant l'air du large. J'avais le droit de l'accompagner, alors je restais assise sur le parquet dans un coin de la salle près de son sac et du piano. Et maman passait et tournait en laissant derrière elle un sillage de nougatine et de noix de pécan grillées. J'entendais en arrière-plan les colombes froufrouter le long des barres.

6

Un soir Monsieur Loyal est rentré trop tôt.

Moi j'étais au lit dans ma chambre minuscule avec sa toute petite fenêtre grillagée (ce n'était pas une chambre me semblait-il, mais bien un garde-manger, un lieu où l'on avait jadis entreposé des jambons et des pommes de terre parce qu'il y faisait sec, frais et sombre, et où l'on m'avait rangée pour les mêmes raisons, c'était, disait maman, le meilleur endroit de la maison). Je dormais et ce furent les éclats de voix qui venaient du salon qui me réveillèrent. Monsieur Loyal normalement jamais ne criait, paraissant être plus à l'aise dans l'évanescent que dans le réel, ayant choisi une posture de poète depuis les périodes les plus sensibles de son enfance et persistant à exercer son drôle de métier – ou plutôt ce que je supposais être son métier – sans se mêler trop des choses matérielles. Je l'imaginais allant dire un petit mot aux acrobates avant l'entrée en piste, s'enquérant avec sollicitude de la rage de dents du vieux lion et consolant la contorsionniste de ses peines amoureuses. Je n'étais jamais allée sous son chapiteau pour des raisons qui avaient trait à ma fragilité émotionnelle et aux confins où ce cirque se produisait. On m'avait promis cette visite mais je n'insistais pas. C'était finalement l'endroit où Monsieur Loyal travaillait, le bureau de Monsieur Loyal, la boutique de Monsieur

Loyal. J'ignorais ce que cachaient ces mots de « directeur de cirque », c'était pour ma part un métier acceptable, je ne pouvais penser ici qu'il y avait nécessité à camouflage.

Je fus donc réveillée par des cris et le grondement de la voix de Monsieur Loyal, je perçus les explications empressées de maman Rose dans sa volubilité et le ton aigu qu'elle avait adopté, j'écarquillais les yeux dans l'obscurité pour mieux entendre, retenant mon souffle et me statufiant pour qu'aucun bruissement organique ne vînt perturber mon acuité. Quelques amis de maman étaient encore là, elle avait prévu pour eux des amuse-gueules – un mot qui avait tout d'une grossièreté – et des provisions de gin. J'étais restée un moment avec eux et puis j'étais allée me coucher parce que je me sentais maussade et prête à pleurnicher, et maman disait toujours trois fois, je crois que tu es fatiguée, dès qu'elle m'entendait gémir ou qu'elle me surprenait m'amollissant comme une tulipe. Nous étions convenues elle et moi que je pouvais rester pendant ces soirées seulement si je savais moi-même déceler l'amorce de mon épuisement.

J'ai écouté avec une concentration de concertiste, je l'ai entendue glapir, ce ne sont que des amis, et j'ai perçu la voix de mon père grondant en souterrain sans que je pusse déterminer ce qu'il disait, et elle qui continuait sur le même ton, tu peux avoir confiance en moi, et lui, mais d'où sortent-ils ?, et elle, ce sont des musiciens de mon cours de danse, et lui ne voulant pas s'arrêter en si joli chemin, prêt à batailler maintenant, commençant à parler de dépravation et de vie dissolue, elle l'interrompant, parlant au-dessous de sa voix, pas très fort, sur une autre fréquence que celle de Monsieur Loyal, en chuchotant presque, mais avec un chuchotement appliqué et borné, qui était pire qu'un cri, un chuintement de vapeur, elle campant sur ses positions, ce sont des amis, nous ne faisons que passer un petit moment tranquille, Loulou (à qui parlait-elle ? à Monsieur Loyal ? Loulou ? jamais elle ne l'appelait devant moi autrement que Monsieur Loyal, était-ce un nom, ce Loulou, qui avait trait à leur intimité, se pouvait-il vraiment qu'elle continuât à l'appeler Monsieur Loyal quand elle était nue avec lui dans leur lit ou bien avait-elle préféré opter pour quelque chose de plus tendre et ridicule comme Loulou ?), j'ai entendu une voix distincte des leurs argumenter, j'ai ma guitare, vous voyez bien, et Monsieur Loyal grognant encore assez fort, ils viennent souvent ces crevards ?, puis sa sécession retombant tout net, elle lui disant, parce qu'il claquait les portes, la petite dort, s'il te plaît, et lui continuant de marmonner et dire des choses comme, foutez-moi la paix je suis chez moi, et d'autres choses encore que je ne comprenais pas, j'entendais des bruits de placard et de frigo qu'on ouvre et ferme, et lui continuant, je suis chez moi allez faire vos putains de fêtes ailleurs, claquant encore les portes, ouvrant les robinets comme pour en vérifier la pression, pendant que moi je me recroquevillais dans mon garde-manger épuisée à cause de l'intensité de mes questionnements et de ma concentration, prise d'effroi, et s'ils se séparent, avec lequel je reste ?, et maman, coupant court, raccompagnant ses amis, descendant avec eux dans la rue, lui continuant à grogner tout seul dans la cuisine, foutez-moi le camp, allez boire ailleurs les bouteilles d'un autre ramier, alors que maman Rose descendait l'escalier avec ses amis en serrant son petit gilet jaune à troustrous sur sa poitrine, leur faisant des signes de la main pendant qu'ils s'éloignaient à pied, et remontant lentement, décidant de faire la gueule à mon père pour éviter qu'il ne la lui fît, ne lui adressant pas la parole et se roulant en boule dans son fauteuil pour dormir là dans le salon plutôt qu'avec lui dans la chambre, la perruque très légèrement de guingois sans doute, rapport à sa position, ne daignant pas lui reparler avant une petite dizaine de jours, indignée qu'elle était, drapée dans sa vertu, et lui vite remis de sa colère, ne maugréant plus, et tentant dès le lendemain matin de lui adresser la parole, lançant des mouches, des appâts et des cuillers argentées, essayant des questions à mon propos auxquelles elle ne pouvait pas simplement répondre par un hochement de tête, l'appelant princesse alors qu'elle le prenait de haut, mon père ne voulant tout de même pas s'excuser mais tenant, comme il le faisait toujours, à lui exprimer sa bonne volonté et son inaltérable dévouement.

7

Maman m'a parlé de ses frères. C'était un jeudi. L'été se terminait. J'étais déjà retournée à l'Institut, mais selon un rythme transitoire, le matin seulement, pas l'après-midi et pas la nuit bien entendu. Je me souviens parfaitement que c'était un jeudi parce que j'avais un petit calendrier perpétuel que je mettais à jour quotidiennement. C'était pour moi une satisfaction intense chaque matin de tourner une page de ce semainier, j'étais ébahie que chaque jour passât et qu'aucun ne portât le même nom, que cela se produisît sept fois de suite et que ce phénomène recommençât indéfiniment comme une mécanique divine.

Elle a dit, je suis la troisième.

Elle était venue me voir le soir sur le toit, passant ses doigts entre les barreaux des clapiers, agitant le bout de son index pour attirer l'attention taciturne des lapins. Ils avaient ouvert un œil, continuant de plisser leurs nez roses, interrompant une seconde leur mastication obsessionnelle – et je me demandais, s'ils s'arrêtent, leurs dents se mettront-elles à pousser jusqu'à traverser leurs gencives et ressortir de l'autre côté ?

Maman a répété, j'étais la troisième.

Il y avait Charles, il y avait Franck.

Le crépuscule tombait, le soleil disparaissait du côté de la mer. Ses cheveux en nylon scintillaient.

Charles était l'aîné. C'était le plus doux.

Franck était numéro deux. Il était terrible et ne voulait jamais me laisser sortir seule. Franck crevait de jalousie.

Elle s'était assise avec moi sur l'une des deux minuscules chaises de la terrasse, devant la dînette, mon joli service à thé cassé recollé, avec sa tasse orpheline, ressemblant à un vrai service à thé qui aurait fait l'objet d'une malédiction, tu rétréciras et deviendras un service à thé de poupée. J'éprouvais un vertige indéfinissable en me servant de ce service à thé microscopique, je me sentais absolument désespérée comme si je me trouvais devant ma propre incapacité à être en adéquation avec le monde et je me délectais de ce déchirement.

Je m'étais dit, elle me parle de ses frères, c'est sans doute pour finir par me parler de mon père. On commence par Franck et Charles, on poursuivra avec mon père.

Je lui ai servi du faux thé dans mon faux service à thé. Elle a fait mine de le boire et de le savourer, soupirant dans le couchant et me disant de façon assez inappropriée, vous êtes un cordon-bleu, ce qui m'évoquait un oiseau des îles, un colibri au plumage électrique.

Ah si Franck ne m'avait pas tant collée on n'en serait pas là.

J'ai médité avec elle cette sentence, m'abstenant de toute question, n'osant percer les mystères de maman Rose et ses insondables regrets, me doutant que sa mélancolie m'avait aussi pour centre nerveux, si Franck, numéro deux, ne l'avait pas tant collée, moi je ne serais pas là ou peut-être pas dans cet état, acquiesçant lentement en tenant la fausse théière l'auriculaire levé, pour donner l'illusion à maman que j'étais beaucoup plus raffinée qu'on ne le soupçonnait. Elle m'a regardée, m'a prise par l'épaule, embrassée dans le cou, je l'ai entendue qui me reniflait la nuque et les cheveux et qui soupirait de satisfaction parce que mes odeurs corporelles, les odeurs de n'importe laquelle de mes sécrétions, jamais ne la dégoûtaient, semblant plutôt être pour elle tout à fait délicieuses.

Elle a repris, Franck et Charles travaillaient à la mine d'or. Ils mettaient un point d'honneur à être les hommes les plus ponctuels, honnêtes et sérieux possibles. Nous vivions avec notre mère dans une maison au-dessus de la forêt de sapins, à flanc de montagne, une partie de la maison s'enfonçait dans la roche, et à cet endroit, dans la buanderie où mes frères conservaient l'alcool, il y faisait une température stable quelles que fussent la hauteur de la neige au-dehors ou la chaleur de juillet, comme si le centre des choses était constant, sa permanence ne se laissant jamais troubler par les aléas du monde extérieur.

(J'ai laissé ma mère ronronner doucement alors elle a continué.)

Quand mon père s'est carapaté, Charles avait quinze ans, Franck douze et moi quatre. Ma mère avait fait montre d'un courage et d'une détermination tels qu'elle avait réussi à ne pas se retrouver avec tout Milena contre elle malgré les circonstances de la disparition du vieux. Il assurait la garde d'un chargement d'or au moment de son embarquement en hélico pour la fonderie (et moi je me suis dit, merde, la voilà qui parle de son père, moi je voudrais qu'elle parle du mien), il avait braqué tout le monde avec un acolyte, flingué l'un des types qui les accompagnait et s'était enfui avec son sbire qui pilotait l'engin – on avait retrouvé le type une balle entre les deux yeux quelques jours plus tard à trois cents kilomètres de là. Je n'avais que quatre ans à l'époque, te rends-tu compte ? Je n'ai jamais revu mon père, il n'a jamais réapparu. Alors ne va pas croire, ma petite Rose, ne va surtout pas croire qu'il pourrait encore maintenant revenir avec des bagouses plein les doigts pour racheter ses mauvaises actions et nous offrir à toutes les deux des vies de comtesse. J'ai espéré ça toute mon enfance. Mais il n'est jamais revenu. Il faut se rendre à l'évidence. C'était un trou du cul.

Je me suis demandé, pourquoi elle me raconte ça, pourquoi ne préfère-t-elle pas me parler de mon père, le vrai de vrai ?

Mais elle n'a rien dit ce soir-là le concernant, elle a continué avec ses histoires de mine d'or et de frères valeureux, elle a continué à parler de sa mère qui allait chanter au gymnase tous les deux soirs des choses en rapport avec Dieu et ses saints pour que Milena ne lui tourne pas définitivement le dos, pour conserver une petite place dans leur petite ville, je me suis passé la main sur les yeux en me disant, j'ai mal à la tête, puis en rectifiant, où ai-je *exactement* mal à la tête, et je n'ai pas écouté ce qu'elle racontait à propos des frères numéro un numéro deux, j'avais décidé de ne rien écouter tant qu'elle ne dirait rien qui concernât mon père, je l'ai laissée continuer pendant que je me disais, j'ai aussi mal à la gorge, à cause de toutes ces questions coincées dans mon larynx qui concernent mon père et que je n'ose jamais poser, je ne me suis pas intéressée à ce qu'elle racontait, il m'a semblé qu'elle ne faisait que tracer une ellipse autour d'une étoile mère dont elle ne voulait pas approcher. Je lui ai dit muettement, c'est ça parle parle, c'est ça, continue à parler et à éviter consciencieusement le sujet, je me suis octroyé le droit d'être irrévérencieuse dans mon silence. Je me suis dit, mais que fait-elle donc, on dirait qu'elle plonge dans un étang, comme si elle ne voulait ou ne pouvait sortir sa tête que par instants, comme si elle avalait une goulée d'air pour s'immerger de nouveau, avec des fréquences de respiration de plus en plus espacées. Je me suis demandé, mais qu'est-ce qu'elle cherche. J'ai soupiré avec discrétion. J'ai bourdonné pour ne pas avoir à l'écouter.

Et c'est dès le lendemain, dès le vendredi matin, que maman Rose a commencé à attendre et à lire le journal avec une attention suspecte.

Je devinais que les événements avaient une cause précise et ponctuelle, je soupçonnais qu'il ne s'agissait pas d'une conjonction de menus incidents, je ne pouvais imaginer l'ordonnancement des choses que tributaire d'un coup de tonnerre. Alors je me suis dit, il s'est passé quelque chose pour qu'elle se décidât à me parler de ses frères et pour qu'elle se mît à se poster près de la fenêtre, embusquée derrière les persiennes, afin d'apercevoir, au coin de la rue, tout en bas, l'arrivée du livreur de journaux.

Ce fut le premier matin où elle le fit.

Et elle ne dérogea pas à ce rituel jusqu'à la fin.

Elle cherchait quelque chose.

Elle s'asseyait à la table de la cuisine, étalant la double page sur le Formica avec des gestes mesurés, lissant le papier en se penchant sur les colonnes de texte, laissant pendre sa cigarette à la commissure droite de ses lèvres, fermant la paupière correspondante et grimaçant légèrement, mais d'une grimace fatale, une grimace de séductrice, et je m'asseyais en face d'elle avec un coussin sous les fesses et j'enregistrais ses gestes pour les reproduire en temps approprié, elle passait une heure à décortiquer chaque fait divers, je me disais, elle cherche quelque chose qui n'est pas imprimé, un truc écrit à l'encre sympathique, quelque chose d'invisible à l'œil nu, y a-t-il des lignes entre les lignes, des caractères entre les caractères, y a-t-il un bûcheron caché dans cette forêt de signes, un jour, je le lui ai demandé, j'ai dit, est-ce que tu as trouvé le bûcheron, mais elle n'a pas levé le nez, elle a juste répondu, je ne vois pas de quoi tu parles, et elle a continué à scruter la page des messages personnels.

Ce vendredi matin-là, le premier vendredi de l'obsession de maman Rose, Monsieur Loyal m'a emmenée à la mer. Je crois qu'il voulait s'éloigner de la maison quelques heures, qu'il avait compris que quelque chose ne tournait pas rond, qu'il lui fallait s'extirper de là, et qu'avec moi ce serait facile et agréable. Nous avons pris le bus, lui et moi, le bus qui roulait à toute vitesse, fenêtres ouvertes, dans un vacarme anesthésiant – mes cheveux volaient en tous sens, j'avais l'impression qu'ils allaient être arrachés d'un coup par ce tourbillon d'air – et il m'a emmenée à la mer.

Monsieur Loyal avait un gros ventre, de grosses fesses et presque des seins de femme. Il transpirait abondamment, j'aimais sa transpiration et sa peau toujours molle et mouillée – comme le linge que maman utilisait pour repasser ses chemises, qui était trempé mais qui ne gouttait pas sur le sol et qui se transformait en vapeur d'eau.

Monsieur Loyal portait des bretelles.

C'est intéressant les bretelles.

Je me disais toujours, ce sont ses épaules qui tiennent son pantalon, ça me fascinait, cette solidarité des organes – la taille déficiente soutenue par la carcasse du gros.

Nous sommes descendus à la plage de l'Espadon, il m'a dit, regarde ce ciel, regarde ce ciel, ma rose, il m'a prise par la main, il portait un pantalon blanc, des bretelles sur la peau de son ventre, une chemise ouverte et un large chapeau taché, il m'a prise par la main et nous sommes descendus vers cette petite plage encaissée où la mer miroitait comme un trésor.

Nous nous sommes déshabillés, j'ai laissé tomber sur le sable mes vêtements, il a plié les siens conscien-cieusement, l'étiquette de son maillot de bain pen-douillait dans son dos. C'était incroyable, cette étiquette qui n'était jamais à l'intérieur. Je ne savais pas pourquoi mais je ne lui disais jamais qu'il fallait qu'il la coupât ou qu'il la rentrât, cette étiquette m'émouvait et me rassurait, je me mettais toujours derrière mon père pour garder les yeux fixés sur cette étiquette – qui n'était plus d'ailleurs qu'un petit bout de tissu blanc délavé effiloché. Et je me disais, je reconnais mon père à cette étiquette qui pendouille, le jour où il retirera son pantalon et que l'étiquette de son maillot ne sera plus visible, je saurai que quelqu'un se sera substitué à lui, je saurai que cet extraterrestre n'est pas mon père.

Nous nous sommes baignés et il est devenu gracieux, il est devenu léger, nous avons joué dans l'eau, il était encore très tôt, il y avait juste un ou deux surfeurs qui attendaient allongés sur leur planche, qui attendaient, en humant l'iode du matin, et je me disais, quelle patience, et je soupçonnais qu'ils n'espéraient pas vraiment une vague, ces garçons-là, ils venaient au levant se mettre le nez dans la brise, surveiller la houle alanguie et patauger doucement en méditant.

Puis le directeur du cirque et moi, nous avons séché au soleil en écoutant le ressac et l'infime bruit du sable qui toujours modifie ses dunes dans un imperceptible mouvement millénaire. J'essayais éperdument de percevoir le bruit du sable qui bouge.

Puis nous avons couru attraper le bus – je sautillais et le directeur du cirque faisait trembler le globe terrestre. Il m'a déposée à l'Institut avec un mot d'excuse, personne n'a fait de remarques sur mes cheveux qui gouttaient et mon odeur de sel et les plis de mon cou ensablés et mes sandales détrempées, personne n'a cru à son mot d'excuse, tout le monde a souri et mon père est rentré à la maison se mettre à l'abri derrière les persiennes.

C'est tout ce qui me reste de cette époque, l'anxiété de maman avant l'arrivée du livreur de journaux et le bruit du sable quand il fabrique des dunes.

8

Le journal est arrivé.

C'était un matin, mon père le directeur du cirque venait de quitter la salle de bains, il passait beaucoup de temps dans cette minuscule pièce aux émaux bleus – avait-il une technique pour virevolter à l'intérieur, passer du miroir à l'armoire, de la baignoire sabot d'enfant au lavabo, je m'interrogeais, comment fait-il donc pour se retourner quand il est à l'intérieur de cette pièce. Il passait beaucoup de temps à s'occuper de ses dents – trouées par sa consommation excessive de sucres – et de sa peau – tentant de la rendre plus lisse, plus douce et plus moelleuse que celle de la plante des pieds d'un nourrisson, pelant presque ses joues à force de polissage.

J'étais là, avec eux, chaque matin. C'était une période où je me tenais le mieux possible, où j'étais si douce et si charmante que je les entendais se demander l'un à l'autre, on ferait mieux de la retirer de l'Institut, ou bien alors je ne les entendais pas se dire ça, j'espérais juste qu'ils se le dissent, peut-être se méfiaient-ils des accalmies, ou me connaissaient-ils assez pour savoir que je pouvais pendant un certain temps tenir à distance la petite folle qui sommeillait, que je pouvais la laisser frétiller sans y toucher, comme un poisson vif-argent au fond d'une nasse, que je pouvais ne pas même l'effleurer pendant des semaines et puis que, inévitablement, j'allais y mettre la main et recevoir une décharge électrique qui allait me faire replonger dans mes tempêtes. Pour le moment je me tenais assise sur le rebord de la nasse, avec mes airs de communiante, afin de pouvoir rentrer chaque soir dormir à la maison, qu'on ne me fît pas passer la nuit à l'Institut, dans cette sauvagerie, avec les ténèbres et les docteurs qui galopaient, les cris et l'odeur de la nourriture qui s'installait sous mon lit, cette putain d'odeur de nourriture, de bouillie, mais qu'est-ce qu'ils bouffent tout le temps, on dirait des carottes râpées et de la bouillie de céleri, il n'y a jamais de glace aux noix de pécan, il n'y a jamais de crème glacée, juste parfois une génoise rance, quelque chose aux fruits rouges, des fruits poudreux qui tombent en poussière entre le palais et la langue, je ne veux pas dormir à l'Institut, les gens de la nuit ne me sourient pas autant que les gens du jour, ils ne s'occupent pas de moi, ils s'occupent de ceux qui crient et chient dans leur lit, de ceux qui cauchemardent à grand fracas, moi je ne fais pas de bruit, je suis terrorisée en silence, je reste prostrée sans bouger, sans respirer presque, essayant de perdre connaissance avec mes propres moyens, ceux du bord, me concentrant et me repliant si serré qu'il n'y a plus place pour rien dans mon corps, compressez-moi et fermez le bouchon, vissez-le bien, je ne me redéplierai plus. Non je ne pouvais pas passer mes nuits à l'Institut, je devais surveiller maman.

Et ce matin-là, comme chaque matin, elle lui avait préparé son café.

C'est prêt, avait-elle crié trois fois.

Et, au bout de dix minutes, ton café est prêt. Il est froid.

Elle supportait mal ses lentes ablutions.

Quand il est enfin parti, quand il a passé son chapeau, cligné de l'œil vers moi qui me préparais pour l'Institut en gesticulant sur le sol afin d'enfiler mes sandalettes, quand il a poussé la porte, il a laissé passer le livreur de journaux.

Je me suis dit, ça colle pas.

Normalement il ne rencontrait pas le livreur de journaux. Aujourd'hui ne sera pas un jour comme les autres.

J'y ai vu un signe.

J'ai croisé les doigts de mes deux mains, croisé les jambes, les pieds, les sandalettes, tout ce que j'ai pu réussir à croiser à fin d'exorcisme. J'ai espéré que mon anxiété fût conjuratoire et non prémonitoire.

Maman très lentement a pris le journal des mains du livreur, ses cheveux en nylon ne bougeaient pas, on aurait dit du sucre mort et étincelant sur un dessert à la crème, elle a très lentement refermé la porte et déplié le journal et elle a commencé à s'éteindre.

C'est à cause de ce journal qu'elle a commencé à s'éteindre.

Elle l'a posé à plat sur la table et a minutieusement consulté les rubriques, tourné les pages, éliminant avec méthode tout ce qui ne parlait pas de ce qu'elle attendait. Je ne pouvais pas patienter plus, j'allais être en retard. J'ai dit, je vais être en retard maman. Elle a suspendu son geste au milieu du claquement de papier, oui, a-t-elle répondu, tu veux y aller toute seule, mon chou ? Je ne voulais pas y aller toute seule. Je ne pouvais pas y aller toute seule. C'était en des circonstances très rares qu'on me laissait faire le tour du pâté de maisons seule pour aller à l'Institut, parce que j'avais commis un acte charitable, parce que j'avais été idéalement sage, parce que j'avais mangé et digéré des brocolis sans vomir partout du haut de la terrasse sur le store de Madame Isis, dans ces cas-là, ma mère disait à mon père, je pense qu'elle peut y aller toute seule, tu ne crois pas, et mon père prenait un air important, et hochait la tête dans sa bonté infinie et il disait, oui je le crois aussi, Rose, je crois qu'elle peut y aller toute seule. Ce jour-là, j'ai serré les dents, je me suis demandé si j'allais réussir à, en plus de tous mes croisements, croiser ma mâchoire, ça se dit, croiser une mâchoire ? J'avais mis mes sandalettes à l'envers, pied gauche pied droit, histoire encore une fois d'éloigner le mauvais sort.

Je suis sortie en marchant sur la pointe de mes coussinets, j'ai refermé la porte tout doucement et je ne suis pas allée à l'Institut. Je suis restée en bas de l'immeuble dans le square de la rue du Roi-Charles en face à surveiller le trottoir. Puis avec l'argent de mon déjeuner – achat poisson pané, petits pois, yaourt, génoise rance, dépôt de cet argent à la caisse de l'Institut en échange d'un plateau-repas dans café-téria polyuréthane orange et odeur graisse séculaire –, je suis allée à la boutique de farces et attrapes juste à côté, juste là, à droite du square, bien en vue, ne quittant pas l'immeuble des yeux, tamponnant les gens dans la rue, mais ne quittant pas l'immeuble des yeux, choisissant une nouvelle cape doublure satin rose sans vraiment la regarder, ne quittant toujours pas l'immeuble des yeux, n'écoutant pas un mot de ce que disait le vendeur, préoccupée par cette porte, la porte de l'immeuble qu'il ne fallait pas quitter des yeux, convaincue qu'elle allait s'imprimer, cette porte, sur ma rétine et que si maman sortait je ne la verrais peut-être même pas, puisque persisterait sur mon cristallin le fantôme de cette porte.

J'ai regagné le square, ses palmiers, sa roseraie, mon poste d'observation, avec ma démarche de crabe.

J'ai attendu toute la journée, planquée sous les lauriers-roses.

Le crépuscule est tombé.

Elle n'était pas sortie, à moins qu'elle n'eût trouvé d'autres moyens de disparaître, ma tête tournait, j'étais assise dans la terre qui me brisait le coccyx tant

elle était sèche. Je me suis dit, il est temps de remon-
ter.

Le bruit incessant de la circulation devant l'immeuble, le nuage jaune de pollution qui se dégageait des
voitures cognaient mon crâne avec une insistance de
houle. Je me suis levée en me tenant à l'arbre. J'ai
contemplé les roses blanches qui semblaient phospho-
rescentes dans le soir qui tombait. Je suis restée un
moment à reprendre vie dans cette phosphorescence.
J'ai roulé en boule ma cape dans mon sac et j'ai traversé la rue pour rentrer à la maison.

Elle s'était éteinte.
Elle n'avait pas bougé depuis le matin, elle était
juste assise devant ce journal sans plus remuer
qu'une bûche.

J'avais un mal fou à respirer, j'étouffais avec mon
sac à dos, mes sandalettes gauche-droite et ma cape
pliée bien serré – qui brillait dans l'obscurité de mon
sac à dos de l'éclat des choses magiques et indestruc-
tibles.

Tu n'es pas allée à la boutique, j'ai demandé, avec
ma voix toute ferraille d'être restée dans l'air dioxydé
du square. Elle a secoué la tête.

Elle ne m'a rien dit, elle n'a pas mentionné si l'Institut
avait téléphoné pour s'enquérir de mon absence, j'ai
compris que de toute façon elle n'avait pas été en état
de répondre au téléphone.

J'ai ouvert le frigo, pris du lait et un entremets au
caramel – quelque chose de gélatineux, qui bougeait
doucement dans mon assiette quand j'y mettais de
petits coups de cuillère, qui bougeait comme j'imaginais que la chair des seins bougeait.

Je me suis assise à table devant elle en y posant
mon entremets qui tremblotait, faisant le moins de
bruit possible avec ma cuillère et ma déglutition,
ayant l'impression que, malgré mes efforts, mon
repas produisait un vacarme insupportable, cognant

la cuillère sur la faïence, suspendant mon geste en grimaçant et le poursuivant avec une lenteur de saurien.

Maman toujours restait inerte.

J'ai cru qu'elle posait, je me suis dit, elle pose pour quelqu'un que je ne vois pas et qui est pourtant dans la pièce, quelqu'un qui exige d'elle la plus parfaite immobilité.

J'ai dit, tu es malheureuse à cause de papa ?

Elle m'a fixée comme si j'avais prononcé une infamie.

Parce qu'il rentre trop tard, parce qu'il n'est pas là et que tu as trop de choses à faire (je lançais des balises, je m'embourbais, j'essayais de jouer son jeu, de reprendre les griefs réguliers mais je ne faisais que m'embourber) ?

Elle a fini par sourire très petitement. Elle a secoué la tête, plié son journal, ôté sa perruque et elle s'est levée, se dirigeant vers sa chambre en tenant ses cheveux comme s'il s'agissait d'un animal velu qui se serait accroché à sa main.

J'ai soupiré.

Je suis allée me chercher des glaces dans le frigo. Et j'ai attendu que Monsieur Loyal rentrât.

9

Monsieur Loyal n'a pas su quoi faire.

Il avait les bras ballants, il m'a dit, elle est juste un peu triste, un peu fatiguée, il faut la laisser tranquille.

Mais au bout d'une semaine, je me suis rendu compte qu'elle était en train de disparaître bel et bien en face de la télé, elle semblait déjà presque absorbée par le fauteuil chenille, je la voyais un peu moins distinctement chaque jour, ses contours devenaient flous.

Je me suis dit, il faut qu'il se passe quelque chose.

J'ai réfléchi, je ne voyais pas bien quoi faire.

Il était impossible de l'interroger. Elle avait construit une bulle en plastique transparent autour d'elle, surface antichoc, antipollution, anti-question, texture onctueuse et lisse, infranchissable.

Alors j'ai décidé de me jeter par la fenêtre.

Je ne craignais rien, j'avais ma nouvelle cape à doublure fuchsia satin.

Je conçois maintenant que ma réaction n'était pas rationnelle mais je n'ai bien entendu pas analysé toutes les implications de mon geste.

J'ai accompli la chose avec une certaine désinvolture, une sorte de complaisance riante, un peu comme j'aurais pu monter dans le wagonnet de queue des montagnes russes. Trop y cogiter aurait amoindri la capacité de jubilation de mon geste. J'y suis allée avec panache.

J'ai dégringolé, j'ai arraché le store de Madame Isis, trois étages plus bas, j'ai emporté tout ce fatras dans ma chute, j'ai atterri sur une corniche, coincée serrée dans le tissu du store comme un parachutiste en pelote emberlificoté dans un arbre.

Le store de Madame Isis m'a sauvée.

J'ai décidé que c'était grâce à ma cape à doublure fuchsia satin.

J'ai entendu maman hurler – et son hurlement ressemblait à une sirène qui avertissait d'un feu, de l'approche imminente d'un escadron de bombardiers, ou d'un nuage toxique, c'était un hurlement d'avertissement, pas un hurlement de stupéfaction, elle était simplement à sa fenêtre et elle avisait tout le voisinage de la folie de sa fille, si petite, si éloignée encore des incertitudes adolescentes, oui sa Rose si petite qu'elle n'aurait pas dû être déjà attirée par le vide, ça vient plus tard, devait-elle se répéter, je ne comprends pas, ça aurait dû venir bien plus tard.

Quand je suis tombée, j'ai ressenti un soulagement intense, quelque chose lié à l'euphorie, une euphorie teintée d'un très léger abattement, comme une plénitude un peu épuisante. Je ne sais comment rendre plus justement ce qui a envahi mon corps et pénétré mon sang et ses éléments énucléés, j'ai ressenti une sorte de bien-être mou.

Puis je me suis entortillée dans le store rayures jaunes rayures blanches, chiures de toutes sortes, de la gentille Madame Isis. J'ai emporté la cage de son canari dans ma chute. Il a ouvert ses ailes mais il n'a rien pu faire, embastillé qu'il était, il est resté en suspension dans sa cage qui tombait.

Il y eut donc une victime jaune pâle et emplumée. J'en suis sortie navrée et j'ai pleuré pendant longtemps dans ma chambre d'hôpital sur ses petits os brisés.

10

Et ils m'avaient répété, pourquoi as-tu sauté ? et je savais ce qu'il fallait leur répondre, je connaissais la réponse mais je les regardais ingénument, si j'avais su que maman, au moment où les psychologues de l'hôpital m'interrogeaient, pourquoi as-tu sauté ?, si j'avais su qu'elle avait pris ses cliques et ses claques – même pas d'ailleurs, elle n'avait rien pris, ni cliques ni claques, juste ses sandales noires et son chemisier noir avec des paillettes fines fines qui dessinaient comme une constellation –, si j'avais su qu'elle était en train de déguerpir, de la façon qu'elle avait choisie, dissolution dans l'espace, sandales noires et chemisier noir avec Voie lactée scintillante, si j'avais su, j'aurais sauté de ma chaise, j'aurais couru dans les rues, couru à la vitesse d'une comète comme dans mes rêves et je l'aurais empêchée de disparaître.

Mais eux ne savaient que me répéter, pourquoi as-tu sauté ? et je leur répondais que je n'avais pas voulu sauter, j'avais juste voulu tester ma cape doublure fuchsia – imaginez cette couleur féroce de géranium, brillante et palpitante comme les feuillages dans la lumière de juillet. Ils ne pouvaient pas comprendre – ou bien ils me soupçonnaient d'entourloupe – alors ils insistaient – ils étaient sans doute moins bêtes que je ne l'imaginais, ils se doutaient de la supercherie. Ils disaient, nous ne répéterons rien, tu peux avoir

confiance en nous – mais je n'avais confiance en personne, excepté mes lapins, je n'avais pas confiance
en maman qui, je le savais, devait être surveillée, je
n'avais pas confiance en papa parce que ce n'était pas
le vrai, celui qui a giclé, et que ça faisait malgré tout
une différence. Alors voyez donc, je n'aurais jamais
pu leur faire confiance aux psychologues de l'hôpital.
Je leur souriais. Fais-nous confiance, répétaient-ils,
et je faisais l'étonnée, comment ne pas vous faire
confiance les gars, vous avez de si jolies blouses blanches même pas tachées de sang, vos yeux sont si
clairs et si francs, vos mains tremblent légèrement –
abus d'armoires à pharmacie ? –, mais c'est un élé-
ment rassurant, ces mains prises d'un léger tremble-
ment, ça vous rend accessibles, vous n'êtes donc pas
de parfaits androïdes, tes parents sont-ils gentils avec
toi ?, je les regardais et j'imaginais leur femme, leurs
enfants, leur maîtresse, leur maison et leur Range
Rover, et l'école ça va l'école ?, eux cherchant une
réponse, quelque chose qui étaierait les diagnostics
déjà inscrits dans les dossiers avant même que j'ouvre
la bouche, eux s'évertuant à me plier en cinq, à me
presser sur la tête pour que je rentre dans la boîte,
que je ne bouge plus du dossier suspendu dans
l'armoire métallique, que je ne détruise pas leur
dogme avec mes réponses incongrues, non non non
tout va très bien, je voulais juste tester la résistance
du tissu et la résistance de mon corps à l'aplatisse-
ment-choc-écrabouillage-pulvérisation.

Ils m'ont laissée assise sur ma chaise basse, je
regardais mon pied que j'avais déchaussé, je faisais
monter mon gros orteil le long de l'arête du bureau
bois écaillé genre scolaire – du coup j'en venais à me
demander si des chewing-gums rose poussière
n'étaient pas collés en dessous –, ils se sont concertés,
je les entendais parler, je les entendais chuchoter
dans la pièce à côté, leur chuchotis passait sous la
porte pendant que mon gros orteil montait et descen-

dait, je savais ce qu'ils disaient, ils m'avaient posé les bonnes questions, personne n'est jamais méchant avec toi ? et les enfants à l'Institut, ils ne t'embêtent pas ?, c'est ça qu'ils répétaient, est-ce que les enfants t'embêtent ? et débattant de l'utilité de l'Institut si les petits patients retournaient chez leurs parents pour se jeter par la fenêtre, moi pendant tout ce temps, essayant des techniques divinatoires, si je fixe mes yeux sur le soleil pendant trois secondes, un deux trois, sans ciller je sortirai vite d'ici, moi spécialiste de la marelle, si je touche le joint entre les carreaux du lino, il y aura de l'orage, et eux parlant de personnalité obsessive, et chuchotant toujours, cherchant à trouver avec détermination et méthode la personne qui me voulait du mal, puisque finalement leurs questions revenaient toujours à ça, est-ce que ton père ta mère un enfant de l'Institut ou même, ô damnation, un adulte de l'Institut est méchant avec toi, eux ne pouvant imaginer qu'il s'agissait simplement de moi, moi qui ne me voulais peut-être pas du bien, moi contre moi, moi toute seule contre moi.

11

Mon père, Monsieur Loyal, s'est occupé de moi avec une attention exemplaire quand ma mère a disparu.

Elle est partie, m'avait-il informé sobrement quand j'étais revenue à la maison après mon séjour à l'hôpital où j'avais été si sage que les psychologues n'avaient pu faire autre chose que me prescrire des pilules, du repos et des séances hebdomadaires, elle est partie, m'a-t-il dit comme il aurait pu me dire, j'ai oublié de ranger le linge, ou bien, tu préfères pas plutôt vanille-noix de macadamia ?

Quand j'ai voulu savoir précisément à quel moment, pour quel motif et en quelles circonstances elle était partie, il m'a regardée, peiné par ma curiosité, soupirant à l'idée des histoires qu'il avait pourtant espéré que je ne ferais pas, il m'a juste dit, elle n'est pas rentrée de la boutique, j'ai fait le chemin une douzaine de fois, je suis allé interroger les commerçants chez lesquels elle s'arrêtait avant de revenir à la maison, personne ne l'avait vue.

Il était évident qu'elle n'allait pas réapparaître, qu'elle ne s'était pas simplement rendue à la pâtisserie chercher des millefeuilles, qu'elle n'avait pas été retardée à son cours de danse, ou qu'elle n'avait pas un problème avec le rideau de fer de la boutique de bonbons comme ça lui était régulièrement arrivé à l'époque où le monde tournait encore rond, il était évident que huit jours d'absence étaient une longue attente pour un homme seul dans son appartement, qui se devait de raconter des sornettes, toutes passivement avalées d'ailleurs, à sa petite fille coincée à l'hôpital, répétant, maman est très occupée à la boutique, elle est un peu fatiguée avec toutes ces émotions, n'osant, lui, ce gentil Monsieur Loyal, pas imposer à sa petite fille des angoisses supplémentaires pendant son séjour de rétablissement et soupçonnant à juste titre les réserves qu'auraient émises l'Institut et l'hôpital à l'idée de lui rendre la petite Rose si sa mère avait disparu.

Il sera toujours temps, devait-il se répéter.

Il sera toujours temps.

Toujours temps pour moi de respirer son absence à mon retour, de me prendre violemment, en plein visage, l'apathie hébétée dans laquelle était suspendu l'appartement, de me dire, je comprends pas, c'est le pire jour de toute ma vie, répétant en moi-même, c'est le pire jour et il y en a déjà eu tellement des pires jours, sentant mon sternum se rétracter, mon corps s'assécher comme une éponge sur la terrasse en plein cagnard, mon corps devenir léger, léger et aride, dur et immatériel.

Comment avait-elle osé partir et ne pas m'emmener ?

J'ai pris la disparition de maman entre mes mains, j'en ai fait une boule très serrée, je l'ai avalée pour que l'ennemi ne la trouve pas – il faudra m'ouvrir en deux – et j'ai demandé à mon père, tu t'es bien occupé des lapins au moins. Ne mettant pas dans cet « au moins » le reproche qu'il aurait pu percevoir (elle, tu l'as laissée partir, j'espère en revanche que tu n'as pas abandonné les lapins, si négligent sois-tu) mais ponctuant simplement ma phrase pour qu'elle se balance mieux. Mon père Monsieur Loyal qui suait déjà d'abondance – qui était homme à mouiller sa chemise – m'a prise par la main et m'a emmenée sur la terrasse pour respirer un coup, éviter une évaporation supplémentaire et me montrer tout le soin qu'il avait pris de mes rongeurs. Il répétait, tu vois, ma gaufrette, je ne les ai pas laissés tomber. Et en effet, aucun n'était mort d'insolation, ils étaient tous bien protégés, bien installés sous les bambous et les caisses qui s'orientaient par rapport au soleil grâce à un petit moteur qu'il avait lui-même mis au point. J'ai dit, merci, merci, j'ai serré plus encore sa main mouillée – la moiteur de ses paumes le mettait mal à l'aise, alors, pour lui montrer que je n'y voyais pas d'inconvénient, je gardais toujours un peu trop longtemps pour que ce fût confortable ma main dans la sienne.

J'ai dit, je crois que je vais rester sur la terrasse un moment avec eux. Il a accepté là où n'importe quel parent aurait pensé, elle va encore enjamber le parapet.

Il est redescendu et je me suis assise sur mon banc pour réfléchir tout à loisir à l'absence de maman.

12

Les deux premiers jours qui suivirent mon retour rue du Roi-Charles, je suis restée à la maison, ou plus précisément sur la terrasse, assise sur mon banc, à l'ombre des clapiers.

Je me levais tous les quarts d'heure – un gros réveil marron m'indiquait le délai à respecter – pour surveiller l'angle de la rue, là où elle aurait dû finir par apparaître, sa perruque blonde scintillant au soleil, illuminant à elle seule le trottoir souillé et la rue braillarde.

Quand je fus fatiguée de me lever ainsi de façon métronomique, j'installai au coin de la terrasse les deux miroirs de la salle de bains pour qu'ils me renseignent depuis mon poste de son éventuelle réapparition.

Le reste du temps je regardais les photos.

Après avoir tenté de remettre la main sur le funeste journal et finalement échoué – mais je l'avais cherché sans vraiment y croire, à peu près convaincue qu'elle avait disparu avec son journal –, j'avais remonté tout le chargement d'albums et de pochettes en vrac, transparentes ou cartonnées, dans lesquelles maman, avec son sens du rangement préhistorique, avait entassé des dizaines de tirages photographiques sans aucun ordre chronologique ou thématique (les vacances, la plage) ou affectif (les arbres que j'aime, petite Rose et son seau).

Je triais, selon des systèmes occultes, faisais de petites piles sur les dalles aux interstices herbus, j'ordonnais en ayant la conviction floue que le mystère de sa disparition allait brutalement se lever.

Sur les photos ma mère avait des cheveux. Ils semblaient roux mais les clichés avaient viré vers les teintes rouillées et roses – à moins que le monde quand ma mère était enfant ne fût réellement rouillé et rose, que les robes n'eussent toutes ces dominantes écœurantes et crémeuses, que les carnations ne fussent toutes légèrement couperosées et que le ciel n'eût cette couleur de tempête de sable.

J'observais ma mère quand elle était petite, avec sa propre mère Rebecca et ses deux frères Charles et Franck. Ils posaient sous le sycomore, en général les trois enfants en ordre décroissant ou bien Rose devant Franck, lui les deux mains sur ses épaules semblant dire, elle est à moi, les boucles de ses cheveux sont à moi, ses yeux jaunes sont à moi ainsi que sa robe, ses chevilles, et ses pieds nus. J'avais fauché la loupe qui cohabitait dans le tiroir de la cuisine avec les fourchettes et les petites cuillères, et je me penchais vers ces images, tentant de discerner les traits du visage de Rose et surtout à quoi elle ressemblait à mon âge avec des cheveux et des sourcils – j'étais tentée de me demander si moi aussi je n'allais pas perdre cheveux et sourcils au même âge qu'elle (seize ans ?) et s'il ne me fallait pas impérativement connaître les circonstances de son martyre pour pouvoir éviter une situation analogue.

Parfois Rebecca la mère posait auprès d'eux et je me demandais, est-ce le père qui les a pris en photo avant sa fuite héliportée ou bien un ami ou bien plus simplement ou plus justement a-t-elle osé le retardateur, couru vers eux, réajusté sa mise, coincé une mèche derrière l'oreille et souri avec sa progéniture pour qu'un jour sa petite-fille sur une terrasse de Camerone pût tenter d'identifier sa mère sur ces photos couleurs passées ou du moins identifier une sorte de prescience qui ferait que sa mère disparaîtrait un jour, quelque chose dans les yeux de Rose qui aurait dit déjà, un jour je me volatiliserai.

Monsieur Loyal restait avec moi, entre le salon et la terrasse, il montait me voir par moments avec un litre de glace dans chaque main et une cuillère en métal brillant qui miroitait. Nous regardions les photos de maman, nous emplissant le corps de la substance laiteuse et gelée, la sentant nous pénétrer jusque dans nos ténèbres, pouvant surveiller son trajet le long de nos conduits intimes. Je me souviens du petit banc et des coussins, et du soleil qui sombrait brutalement dans l'océan, mon père disait juste, c'est bon ma cigale ?, et je marmonnais quelque chose, et nous restions là, et nous étions incapables de palabrer plus, nous étions incapables d'exposer l'un à l'autre ce que provoquait son absence en nos fors intérieurs ou les explications fantaisistes que nous donnions à son départ.

Parfois je me disais, je ne parle pas la même langue que lui, nous ne pouvons pas converser, puis l'idée que je n'avais pas parlé non plus la même langue que maman m'attristait brusquement.

Le huitième soir, face à son mutisme, que je ne savais pas plus percer que celui de maman à propos de son crâne supplicié, j'ai voulu donner à mon père une clé concernant la disparition de maman, je lui ai dit, pendant que nous étions tous deux devant la télé (notre film préféré à lui comme à moi, *La vie est belle*, de Frank Capra) dans une position imbriquée, moi la tête sur son impressionnant estomac, allongée, pieds en l'air, jouant avec mes sandalettes beige mastic du bout des orteils, lui, vautré, dégonflé, manche à air sans la moindre brise, alors que nous étions très tranquilles dans la pénombre assourdie du salon, je lui ai dit avec une voix nasale due à ma position horizontale, une voix que j'ai eu moi-même un peu de mal à reconnaître, je lui ai dit, elle n'est pas partie de son plein gré. J'ai laissé s'installer un silence mesuré et j'ai ajouté sentencieuse, sinon elle aurait pris les photos de moi.

Monsieur Loyal n'a pas bronché. Il a laissé échapper un léger soupir d'une délicatesse de passereau.

J'avais dit à mon père, on peut essayer de la faire rechercher, on peut appeler la police.

Il avait secoué la tête, il faut la laisser tranquille, il faut laisser aux gens qu'on aime le droit de disparaître.

Je m'étais renfrognée. Ce n'était pas si simple, me justifiais-je par-devers moi, il lui était peut-être arrivé quelque chose de terrible, peut-être avait-elle perdu la mémoire et errait-elle sur les aires de repos de l'autoroute sans se souvenir même de son nom ? Peut-être vivotait-elle depuis plusieurs semaines dans un hôpital à ne plus pouvoir prononcer un mot ; connexions court-circuitées dans son cerveau précieux.

Mon père répondait au téléphone qu'elle était retournée un temps chez sa mère, c'est ce qu'il disait, elle est retournée un temps chez sa mère, elle avait besoin de calme, mais que pouvait signifier le « un temps », mais qui était la mère de ma mère, je ne l'avais jamais vue, existait-elle encore, et je me demandais, mais où sont passés les amis de maman qui venaient le soir quand Monsieur Loyal était absent, ont-ils tous disparu en même temps, sont-ils partis en minibus le long de la côte, chantant et sifflotant dans le véhicule, et empruntant le chemin des douaniers ?

Il avait fini par suggérer, tu devrais aller t'excuser auprès de Madame Isis. Son canari est mort avec toute cette histoire.

Je n'avais pas répondu, je ne voyais pas bien comment aller trouver Madame Isis et lui demander l'absolution pour ma tentative de suicide qui avait coûté la vie à son emplumé.

Il avait insisté, je peux venir avec toi si tu veux.

Ce qui me semblait encore pire.

J'ai éludé un moment, préoccupée avant tout par le comportement de mon père face à la disparition de maman Rose.

Je me suis convaincue que maman était simplement devenue invisible, se dissolvant dans l'air idéal du soir alors que j'étais encore à l'hôpital. J'avais déjà une connaissance intime de la disparition – les lettres qui n'apparaissent plus quand on tape à la machine parce que le rouleau encreur définitivement est sec et stérile, les objets qu'on ne retrouve jamais, maman parlait d'un trou aux objets, je me plaignais si souvent de ne plus remettre la main sur un jouet ou sur un livre ou sur une barrette avec des strass, maman considérait alors qu'ils avaient disparu dans le trou aux objets, un trou qui prenait forme au milieu du salon, disait-elle, engloutissait nos objets, et se refermait. Là, dans ce trou, les objets se mettaient à vivre une existence joyeuse et libérée, la disparition d'un objet devenait alors une fête, maman tentait toujours de m'en convaincre, je traînais un moment mon désespoir et ma perte et je finissais par me résigner à croire à sa fable merveilleuse.

J'ai laissé mon père à son apathie – glaces rhum-raisins + bière – et je me suis concentrée pour rejoindre les territoires invisibles où les gens disparaissent et s'amusent jusqu'à la fin des temps.

13

J'ai fini par aller voir Madame Isis. Mais pas du tout pour m'excuser – bien que ce fût le prétexte de ma visite –, pas du tout pour me justifier – comprenez donc, Madame Isis, mon désir incontrôlable de voler avec une cape noir et rose –, non, je suis allée la voir parce que Madame Isis savait qui était maman.

Madame Isis avait un lien, me semblait-il, avec les mondes secrets, je soupçonnais même quelques accointances avec les morts (elle parlait couramment à son mari disparu). Et elle savait qui était maman Rose.

J'ignorais si elles avaient beaucoup parlé ou si elle avait connu maman alors que celle-ci n'était encore qu'une petite fille avec des cheveux en vrais cheveux. Mais je comptais sur elle pour ordonner les points mystérieux qui devaient finir par dessiner le motif de la tapisserie.

Elle habitait trois étages au-dessous de notre appartement, elle portait des blouses de nylon avec des figures géométriques entremêlées – qui créaient des illusions d'optique, Madame Isis est-elle loin, est-elle près, est-elle en creux ou en relief ? –, je savais qu'elle mettait quarante-sept pinces dans ses cheveux chaque matin, faisait scrupuleusement le compte chaque soir et cherchait à quatre pattes sur le carrelage celles qui manquaient à l'appel, elle avait d'ailleurs un chignon qui défiait la gravité – c'est Monsieur Loyal qui disait cela, le chignon de Madame Isis défie la gravité –, il était roux, mesurait trente centimètres de haut et ressemblait à des œufs en neige qui n'auraient pas été blancs, elle le laquait copieusement avec des bombes asphyxiantes et laissait toute la journée tomber autour d'elle des particules de colle.

J'avais toujours beaucoup aimé Madame Isis.

Je l'appelais la gentille Madame Isis.

À cause de moi et de mon désespoir un peu voyant – sauter par une fenêtre avec une cape avait quelque chose de trivial –, Madame Isis était dorénavant endeuillée, rapport au canari écrabouillé.

Mais elle ne m'en voulait pas.

Elle a juste dit, c'est un peu vulgaire comme suicide, c'est elle qui me l'a dit en faisant sa lessive de blouses géométriques dans l'évier de sa cuisine, elle s'est tournée vers moi en me prenant à partie, regarde-toi, Rosa Rosa Rosa, regarde-toi, tu es grasse comme une sardine d'hiver, tu es toute petite et ronde et douce, tu es si petite qu'on croirait que tu as sept ans, non non, Rosa, on ne doit pas penser à ces choses-là à ton âge, et ne dis pas à Madame Isis que tu es tombée sans le faire exprès, non non ma Rose Rosa, ne recommence pas ces choses-là, après il n'y a que du malheur que du malheur (elle a fermé les yeux pour une pensée dédiée à son Titi).

J'ai acquiescé en constatant, elle exagère, je n'ai pas l'air d'avoir sept ans, en me disant, je leur demanderai à l'Institut si j'ai vraiment l'air d'une petite fille, ils le sauront, ils ont des références. Et pendant qu'elle répétait, ne recommence pas, Rose, sinon tu rendras tout le monde malheureux, je n'arrêtais pas de me demander comment une fille de mon âge pouvait avoir l'air d'être une si minuscule gamine, je me demandais quel genre de maladie j'avais, quel raté il y avait eu dans mon patrimoine génétique, quelle faiblesse atavique recélaient mes organes (molécules d'ADN ventripotentes et essoufflées). Je n'avais pas sept ans, j'en avais plus du double.

J'étais allée voir Madame Isis le onzième jour.

J'avais frappé à sa porte, sauté à pieds joints pour qu'elle me vît derrière son judas – ah le judas de Madame Isis –, fait de grands signes de bras en criant, c'est Rose du huitième, et quand elle m'avait ouvert, je lui avais présenté le plateau de madeleines (écorces d'orange confites) que nous lui avions confectionnées, mon père et moi, et que j'avais portées jusqu'à elle en m'arrêtant toutes les trois marches pour en ramasser une ou deux qui dégringolaient dans l'escalier, Madame Isis avait eu l'air de trouver normal que je vienne m'excuser de mon comportement irresponsable – mais que pouvait-on sérieusement attendre de moi ? – et acheter son indulgence avec des madeleines à l'orange. Je m'étais assez rapidement débarrassée de cette formalité, pardon pardon Madame Isis, je ne sais comment obtenir votre pardon, je suis si désolée de la mort de votre Titi, et elle, minaudant un moment, le plat de madeleines à la main, me faisant finalement entrer dans son appartement, reste donc un instant ma Rose, nous discuterons, j'ai bien besoin de discuter un peu, ça me détendra, tu sais, sans Titi ce n'est plus tout à fait pareil.

Alors j'avais trottiné derrière elle et je lui avais dit, en pénétrant dans sa cuisine, m'asseyant sur la chaise paillée avec mon short rose, pas de jupe, jamais de jupe, ça fait trop fille, ça me fait peur, et laissant pendouiller mes jambes en reniflant et en tripotant les soixante-dix nattes que j'avais sur le crâne, je lui avais dit, j'aimerais bien aller voir le cirque de papa.

Elle a éclaté de rire, Madame Isis. Un cirque, un cirque, tu appelles ça un cirque ? Et les blancs en neige qui n'étaient pas blancs tremblotaient en nous menaçant d'avalanche. Elle s'est tournée vers moi – elle préparait son premier café de la journée – et elle m'a demandé, mais qui t'a fait toutes ces tresses ?, j'ai répondu que c'était une coiffure d'été, qu'il fallait que je les retire pour retourner à l'Institut, que ça allait me faire une tignasse de folle mais que ce n'était pas si grave, vu que tout le monde était cinglé dans cet institut. Elle a secoué la tête en disant, allons allons. Elle s'est adossée à l'évier en regardant par la fenêtre et en sirotant son café sucré caramel et elle m'a dit, ce n'est pas vraiment un cirque, tu sais, où travaille ton père. J'ai fermé un instant les écoutilles en pensant, si ce n'est pas un cirque, comment vais-je appeler mon père, comment vais-je parler de lui puisque je le nomme toujours le directeur du cirque. Je me suis dit, c'est la journée des révélations, alors j'ai étouffé, ça allait trop vite pour moi, je n'étais pas encore tout à fait prête, j'ai prononcé bien distinctement, et si on sortait ? Madame Isis a soulevé un sourcil, tu ne vas pas à l'Institut ? tu es bien sûre ?, je lui ai expliqué que je n'y retournerai que le lendemain, qu'en attendant je serais bien allée manger du poisson avec elle ce midi-là dans le boui-boui d'étudiants où elle nous avait emmenées une fois (à l'époque où maman n'avait pas encore disparu) en face du terrain vague. Elle a dit que les étudiants étaient presque tous partis, qu'il ne restait que ceux qui avaient raté leurs examens de printemps, mais que c'était une bonne idée, qu'ils auraient la peau bronzée et seraient moins surexcités qu'à l'habitude, que oui, pourquoi pas en définitive, ça éviterait de tomber sur les touristes du front de mer, ceux qui portent des caleçons mous et des chaussures en plastique et qui se foutent que cette plage ne soit pas une vraie plage.

J'ai attendu dans la cuisine qu'elle se préparât.

J'ai regardé autour de moi. Il y avait des milliers d'objets en forme de papillon, les dessous-de-plat, les aimants pour le frigo, l'abat-jour en tulle de la suspension, la salière et son amant le poivrier, les autocollants avec paillettes sur les placards, il y avait des papillons partout. C'était une drôle d'idée de vivre avec autant de papillons autour de soi, ça me laissait méditative, Madame Isis aurait-elle aimé se transformer en un gros papillon, antennes tubulaires et frémissantes et ailes à motifs géométriques ?

Elle est revenue et nous sommes parties bras dessus bras dessous. Madame Isis marchait très lentement en soufflant et en pépiant à propos de Monsieur Isis et de l'emploi qu'il avait prétendument occupé dans une clinique qui aurait soigné les problèmes de mémoire – il existait, disait-elle, des gens à la mémoire si défaillante qu'ils ne se souvenaient plus à quel endroit ils avaient garé leur voiture, ou même, cas plus graves, des gens qui avaient des trous dans leur histoire, des trous concernant leur enfance (mais qui sont mes parents ?) ou leur mariage (mais qui est donc ce type qui ronfle dans mon lit ?). Madame Isis disait avoir travaillé comme secrétaire médicale dans cette clinique du souvenir, elle me racontait des anecdotes concernant les patients – l'homme qui avait égaré sa prothèse du bras, ne sachant plus bien s'il en avait un jour possédé une et pourquoi il lui manquait un bras, la femme qui ne savait plus lire son nom…

Je ne croyais rien de ce qu'elle me racontait. Je savais que son mari, son Monsieur Isis mort depuis bien longtemps, avait été incinérateur d'animaux dans un labo qui pratiquait la vivisection. Mais je crois que le métier de son défunt était si terrible qu'elle avait besoin de raconter ces matoiseries pour cultiver son souvenir.

C'était maman, jadis, qui m'avait rapporté, motus, la vérité sur feu Monsieur Isis.

Nous avons fini par atteindre le boui-boui d'étudiants en face du terrain vague, végétation cactée, arbustes secs s'effritant sous les doigts avec un petit bruit d'automne. Nous nous sommes installées à une table près de la vitrine pour bien surveiller la rue et le terrain vague, pour regarder la fille au short rouge assise sur la carcasse de voiture qui sirotait quelque chose dans un gobelet en carton en plissant les yeux (et moi, pourquoi donc cette jolie fille en short rouge ne met-elle pas des lunettes de soleil ?). Nous avons mangé nos beignets de poisson en silence, j'écoutais les conversations des étudiants autour de nous, leurs histoires de cœur et de cul, leurs petits boulots, le prix des bottes chez Harry, des choses ayant trait aux piercings, aux profs, au fric, aux produits pour blondir, à l'existence. Madame Isis m'a souri en disant, si tu te tiens à carreau, tu pourras être comme eux quand tu seras plus grande. J'ai pensé, à carreau, ça veut dire, pas de suicide, pas de crise (éructations, bave, tétanie, pipi sur le sol, oh cette flaque qui s'agrandit, la brûlure sur mes cuisses, le désir de tout retenir encore et puis non, relâcher tout, abandonner, la flaque qui s'agrandit et qui semble souligner en lettres clignotantes mon incomplétude, ma pauvre fille, ma pauvre petite fille, il faut bien quelqu'un pour te nettoyer, récurer, parfumer, l'odeur de pisse, sinon, poisseuse, qui ne me lâche plus et envahit mes narines, respire par la bouche, qui envahit mes narines et ma gorge, ne respire plus, les fourmis sous mon crâne et la chute, la rage qui me prend quand je me sens chuter, cette grande colère qui me coupe les jambes comme un courant souterrain, comment se tenir à carreau ?), j'ai dit à Madame Isis que maman avait disparu avant même ma sortie de l'hôpital, elle a acquiescé parce qu'elle le savait déjà, ou bien alors pour me montrer qu'elle m'écoutait attentivement, elle a sucé ses doigts à cause du sel et de l'huile, bu sa bière, tapoté sa poitrine géométrique – il m'aurait fallu des lunettes spéciales pour regarder la robe de Madame Isis, des lunettes vert et rouge, pour bien la voir en trois dimensions –, elle s'est penchée vers moi, je sais, je sais, mon lapin, et, dis-moi, ma jolie, tu as une petite idée d'où qu'elle est maintenant. J'ai abaissé les coins de ma bouche et haussé les épaules pour ne pas pleurer et pour que Madame Isis acceptât de me donner des indices. Elle a dit, ta maman est une femme un peu spéciale, mais je n'arrive pas à croire qu'elle soit vraiment partie sans m'en toucher deux mots. Je me suis rendu compte que je ne connaissais vraiment pas bien la teneur des relations de ma mère avec cette Madame Isis. Je lui ai raconté l'histoire du journal qui avait d'après moi déclenché sa disparition. Elle a dit, facile facile, je dois l'avoir gardé à la maison, on va y jeter un œil. J'ai senti alors que je pouvais placer ma tristesse entre les mains de cette femme, la déposer dans le creux de ses mains et juste vérifier qu'elle s'écoulât avec régularité de l'interstice entre ses doigts comme un sable fin, une somme de poudre de coquillages. J'ai poussé un long soupir de montgolfière touchant le sol.

Nous avons quitté le boui-boui à étudiants, Madame Isis a pris le temps d'allumer une cigarette et nous sommes remontées à la maison avec lenteur, traversant la chaussée à plusieurs reprises pour marcher sur le trottoir ombreux, nous collant aux murs des immeubles, clopinant parfois l'une derrière l'autre pour ne pas risquer l'insolation (quand nous traversions la chaussée, j'avais l'impression que nous nous trouvions à découvert sous le tir possible d'un sniper embusqué parce qu'elle regardait avec inquiétude droite gauche et façades, trottinant vers les territoires protégés avec l'excitation et l'effroi d'un soldat qui pataugerait dans des marécages avant de regagner sa tranchée).

Dès que nous sommes arrivées à son appartement à papillons, elle s'est mise à fouiller dans le placard à journaux – relecture quand le temps s'y prête, épluchage pommes de terre et relecture également pendant cette occupation, économe suspendu dans la main droite, toute l'attention concentrée sur un article qui avait échappé à une première consultation –, elle m'a demandé à plusieurs reprises de lui certifier la date, moi absorbée par le spectacle des papillons autour de moi (coussins en canevas, dessous-de-plat en macramé, papillons en plastique éparpillés dans ficus, insectes polychromes à l'abdomen transpercé par une épingle sur fond de velours poussière, avec leur nom vulgaire écrit en cursives sur étiquette adéquate, le Petit Mars Changeant, l'Aurore, l'Argus de la Sanguinaire, la Nymphale de l'Arbousier, le Collier de Corail), les imaginant en train de ricaner, ces papillons, pendant qu'ils nous regardaient penchées l'une vers l'autre par cette après-midi étincelante, elle qui essayait de trouver ce qui allait me permettre d'avancer le long du talus ou bien ce qui stopperait chez moi toute velléité de suivre la ligne douce du talus.

Elle a fini par sortir de son placard d'un geste vainqueur le journal en question, déjà à peine jauni, avec le quelque chose de défraîchi des choses éphémères qui ont eu l'audace de perdurer. J'ai dit, bon comment on fait maintenant. Elle a froncé les sourcils. Je l'ai laissée prendre la direction des opérations. Elle s'est installée sur la table du salon, commençant son inspection par les rubriques de faits divers, moi assise à côté d'elle, tentant de participer à l'inspection mais ne parvenant pas à savoir ce que je cherchais, les yeux s'attardant sur tout et n'importe quoi, n'arrivant à rien, déroutée par toutes ces colonnes où je ne savais pas chercher ce qui avait pu concerner ma mère, et puis, Madame Isis, se relevant brusquement, pointant avec un soupir son doigt sur une brève et me disant, c'est ça, c'était ça, et moi, à genoux sur une chaise, me penchant pour mieux voir et lisant la nouvelle, Markus M. a tenté de se suicider avec une corde à sauter dans sa cellule la veille de son appel, et moi ne comprenant pas bien mais me demandant juste, que font les types en prison avec des cordes à sauter dans leur cellule, réfléchissant intensément à la question, Madame Isis me regardant du coin de l'œil avec une grimace assez douloureuse et moi lui demandant enfin, ça leur sert à quoi les cordes à sauter à ces mecs en prison ?, ne désirant pour le moment que la réponse à cette question, ne supportant pas l'idée qu'elle répondît à autre chose, ciblant le problème et lui intimant de me donner, dis-je, une réponse précise à cette question précise.

II

14

Markus M. habitait avec sa mère dans une sorte de mobile home sur les hauteurs de Milena près du lac artificiel. C'était une construction qui avait mal supporté la sédentarité et les rigueurs hivernales. Elle s'était partiellement affaissée comme aurait pu le faire l'entrée d'une mine ou bien un terril de sable, elle n'avait pu résister aux intempéries et à l'humidité qui faisait son chemin souterrain à travers sources et nappes depuis le lac où pullulaient maintenant les silures. Ces poissons avaient décimé le reste de la population aquatique avec une telle application que Markus M. craignait quand il était petit que les poissons-chats prédateurs ne remontent du lac jusqu'à leur caravane par le réseau phréatique pour les dévorer lui et sa mère dans leur sommeil.

Souvent Markus M. se demandait pourquoi il vivait avec sa mère dans une caravane alors que les autres enfants habitaient dans des maisons de briques recouvertes de crépi, souvent il s'était demandé ce qui avait poussé sa mère à préférer la probabilité plus que ténue d'un départ à la sécurité relative d'une baraque en cagettes et palettes.

À cause de sa mère, qui avait un quelque chose des pétroleuses à l'ancienne (costaudes et solitaires), qui teignait ses cheveux d'un blond catégorique, se plaignait souvent des hommes couards et sans jugement qui couchaient avec des filles maigres à peine pubères, à cause de sa mère qui chouinait devant la télé quand les garçons bronzés gominés épilés quittaient leur bien-aimée, à cause de sa mère donc, qui n'arrivait pas à se faire respecter – ne tentait plus de le faire d'ailleurs – parce qu'elle était serveuse, fumait des brunes, parlait avec une voix de gorge et pratiquait une sexualité versatile, à cause de toutes ces raisons, Markus se sentait obligé de continuer le lycée afin de passer le moins de temps possible à Milena – le lycée était dans la ville voisine –, dans l'espoir de trouver à terme un autre job qu'un boulot à la mine d'or et de tracer la route dès son diplôme en poche. Markus M. finalement était un garçon raisonnable.

Markus aurait voulu quitter cet endroit dès que faisable mais il se sentait cadenassé par sa propre inertie. Il aimait ces montagnes conifères, ce froid qui vous soufflait dans le corps comme une corne de brume, il trouvait impressionnantes les déchirures de la roche, l'intimité préhistorique qu'il entretenait avec la caillasse, le bruit de la mine à ciel ouvert et les bassins bleus cyanurés, l'odeur de diesel et de moisissure qui traînait en ville par moments parce que le vent stagnait dans cette enclave, Markus M. tapait des pieds pour que le sang s'agitât et ne paressât pas trop longtemps dans son circuit interne, Markus M. comptait les pies au-dessus de la passerelle du chemin de fer, une pie bonheur, deux pies malheur, trois pies je recommence, Markus M. était un garçon mélancolique qui faisait semblant de, un garçon mélancolique qui faisait mine de.

Je regarde Markus M. de là où je suis.

Markus M. est un garçon qui me plaît.

Je pense à lui maintenant que je sais qu'il a fait une tentative de suicide dans une prison au milieu d'une ville où je n'ai jamais mis les pieds…

Je peux penser à lui et il m'apparaît sale et beau et tendre comme quelque chose qui sortirait d'une huche à pain, comme quelque chose qui serait précieux, qu'on aurait déposé dans la sciure pour ne pas le casser. Je pense à Markus M. dorénavant quand je me sens isolée dans un grand froid neigeux, quand j'ai et donne l'impression d'avoir sept ans alors que j'en ai plus du double. J'aime imaginer l'histoire de Markus M. et de ma mère.

Cela a trait à l'enfance de ma mère mais que puis-je faire de l'enfance de ma mère, que puis-je même oser connaître de ce mystère. L'enfance de mon père me semble plus imaginable parce que tout à fait romanesque. Je peux y mettre ce que je veux, ordonner les événements et les pensées comme je l'entends, grattouiller pour chercher des preuves et des explications, colmater les brèches pour que mon sous-marin ne sombre pas, je peux lui inventer une enfance, et un ruban de pensées, personne ne peut m'en empêcher.

15

Je suis retournée à l'Institut le douzième jour. J'ai joué le jeu, j'ai répondu aux questions, mangé le blé concassé et le jambon en polyuréthane qui fait comme un arc-en-ciel selon la façon dont j'oriente l'assiette, je me dis toujours, ils le font avec du pétrole ou avec de l'huile de moteur, j'ai repris les cours, parlé peu, souri quand il le fallait, j'ai sué avec discrétion sans odeur et sans ruisseau, il faisait une telle chaleur à l'Institut, je pensais aux bougies qui fondent, s'alanguissent et fondent quand l'été est à son culminant, j'étais plus forte et plus brillante que les autres – mais je savais que c'était comme si j'étais voyante au milieu des borgnes, cela n'avait rien à voir avec des qualités plus profondes –, je rêvais à la pluie et à la forêt de conifères de mon père et de ma mère, j'imaginais le bruit de la pluie qui fait comme un mur de son, un mur blanc de chuintement, je n'ai pas dit que maman avait disparu, j'avais ma petite idée sur la question, je n'ai pas dit que maman avait disparu, et Monsieur Loyal ne leur en a pas parlé non plus, ce qui confirmait sérieusement mes doutes, ils ont fini par me faire venir au bureau pédagogique, le type en blanc, Monsieur Roberto, m'a demandé sans vraiment me demander, tu pourras rentrer seule chez toi ? ton père a dit que tu pouvais rentrer seule maintenant (il agitait une lettre dont j'avais été porteuse le matin même), si tu as peur, si tu préfères rester un peu, on l'appellera et on lui expliquera, j'ai dit, non, bien sûr, je n'ai pas peur, pourquoi devrais-je avoir peur, vous savez bien l'âge que j'ai, j'en ai rajouté, je vais souvent à la mer toute seule d'ailleurs, je vais très souvent à la plage de l'Espadon me baigner, mais il ne m'a pas crue, j'ai juste répété, vous savez bien l'âge que j'ai, ce qui ne semblait pas du tout l'impressionner, alors j'ai arrêté de mentir, il a souri, il s'ennuyait avec moi, je voyais qu'il s'ennuyait, j'avais envie de lui taper gentiment sur l'épaule et je me sentais désolée d'être une personne ennuyeuse, j'ai pensé à Monsieur Loyal, elle peut rentrer seule à la maison, j'ai pensé à maman et à sa perruque en sucre, j'ai stoppé les pensées inadéquates, j'ai pris mon air sérieux et j'ai dit, ne vous inquiétez pas, je peux y aller seule, ne vous inquiétez pas, je vais bien.

Il s'est levé dans sa blouse blanche, tu vas rentrer t'occuper de tes lapins, j'ai gardé les genoux serrés l'un contre l'autre, les mains englobant parfaitement leur rondeur, ce type ne savait pas que maman avait disparu, j'ai souri avec un grand souci de symétrie, je voulais que la partie gauche de mon corps fût le double inversé de la partie droite. J'ai acquiescé, mesurée, en faisant aller mon menton jusqu'à toucher mon cou. Tu vas aller t'occuper de tes lapins.

16

Markus M. avait longtemps cru qu'il n'aimait pas les femmes.

Il ne supportait pas que sa mère le touchât – c'était troublant ce dégoût qu'il avait d'elle, il se souvenait très vaguement, mais ce souvenir ressemblait à un effluve, qu'il avait dû l'aimer enfant et avoir envie de se nicher dans son giron, lui revenait par moments la mémoire d'un pull en laine qui pique un peu les joues, des seins de sa mère sous le pull en laine, mais il ne restait de cette sensation rien de plus que le léger malaise qu'en faisait naître l'exhumation. L'odeur de sa mère l'indisposait, à cause des bonbons à la menthe que, à grands renforts de claquements de bec, elle suçait pour digérer, à cause de la poudre, de l'eau de toilette *Sous-bois* dont elle l'aspergeait dans les petites heures de la nuit quand il était gamin après que, vers le sanibroyeur, il se fut précipité pour vomir avec la régularité qu'aurait exigée une fonction corporelle de plus, à cause encore de l'acidulé de son rouge à lèvres qu'elle laissait sur le goulot des bouteilles, de la transpiration de ses aisselles qu'elle ne rasait pas comme pour prouver qu'elle était bien une vraie ex-blonde, de son tabac de fille, fin et filtré, de l'adoucissant de sa lessive, de l'après-shampooing de son shampooing, de son odeur de bas filés raccommodés, de sous-vêtements violets – les femmes qui vivent dans des mobile homes ne portent que des sous-vêtements violets, elles disent qu'elles portent de la lingerie prune –, du graillon qui adhérait à ses cheveux et ses foulards, de la mollesse de ses bras, de ses coudes et de ses fesses (Markus se dit que tout le monde remarque les odeurs de sa mère, et que c'est pour cette raison que personne à Milena ne parle à sa mère avec autre chose dans la voix que de la condescendance et une distance hygiéniste (ne m'approchez pas à moins de trente centimètres), à part bien évidemment les Lucie, Marie, Yvonne qui portent des sous-vêtements violets comme elle et se plaignent de la lâcheté des hommes). Pendant un temps, Markus M. s'était demandé si ce dégoût qu'il avait d'elle ne cachait pas quelque chose de plus pernicieux qui lui faisait garder les yeux ouverts la nuit la main sur la bite en essayant de faire venir à lui des images de filles à seins et à cul qu'il connaissait ou croisait muettement, et qui lui faisait répéter dans un tout petit coin de son crâne, mais avec une insistance de migraine, peut-être que tu es pédé Markus, peut-être que tu préfères les mecs. Et il ne savait plus bien si c'était cette interrogation ressassée qui le faisait débander ou si décidément les dandinements virtuels des filles à seins et à cul ne créaient en lui aucun frémissement sanguin.

Alors Markus M. n'en finissait plus de se vautrer sur son lit – sa mère depuis des lustres dormait dans le canapé parce qu'elle rentrait tard le soir de la cafétéria, parce qu'elle pensait qu'il avait besoin d'intimité –, elle passait la tête par la porte, elle le regardait avec ses yeux marron (elle disait, ils sont noisette, ou même elle disait, ils sont verts, s'il y avait du soleil), elle lui demandait s'il voulait manger quelque chose. Markus ne la regardait pas, il était simplement triste de ne pas réussir à surmonter le dégoût qui contaminait tout ce qu'elle ramenait dans la maison, elle s'approchait et il se sentait comme un lièvre au fond de son terrier, piégé par le feu, elle se penchait pour ramasser du linge qui traînait – et il voyait le haut de son string qui dépassait de son jean et l'idée de sa mère en string avec ses petits tatouages ridicules sur les fesses le submergeait et l'accablait –, elle ne savait pas comment s'y prendre pour retenir son fils qui lui semblait s'éloigner d'elle à toute allure, l'image qui lui venait était celle d'une comète sur le fin fond noir du ciel, c'était comme ça qu'elle l'imaginait son Markus, filant et laissant dans son sillage de microscopiques pétillements à cause de ses baskets volées. Elle souriait quand même et elle se disait, il me reviendra de toute façon, il me reviendra – parce que, elle, elle savait qu'il avait été un merveilleux enfant doux et tendre et protecteur qui lui caressait les cheveux quand elle pleurait et lui chantait des chansons. Alors elle répétait qu'elle avait ramené du tajine au poulet et aux olives, qu'aujourd'hui avant son service elle allait sortir avec Marie – ou Lucie ou Agathe ou n'importe quel autre nom de femme divorcée avec un ou deux enfants et une voiture et un métier, un vrai métier, coiffeuse ou esthéticienne ou puéricultrice –, Markus acquiesçait, la tête dans l'oreiller, il disait, ferme la porte en sortant, et sa mère – qui s'appelait elle-même Marie ou Lucie ou Agathe –, se sentant congédiée, ressortait de la chambre de son fils en lui disant juste, à tout à l'heure mon loup, il ouvrait un œil et s'apercevait qu'il la détestait violemment à cause de son air de victime et de ses cheveux filoches et parce qu'il n'arrivait pas à retrouver le chemin qui menait jusqu'à elle.

17

J'ai commencé à soupçonner Monsieur Loyal le vingtième jour.

Ce fut comme une résine. Quelque chose qui s'est mis à me poisser les mains, avec une flatteuse couleur ambrée au début et qui a fini par s'assombrir pour devenir une glu tout à fait noire. Je n'ai su que faire de mes soupçons.

Je me suis juste mise à le regarder bouger et à épier un faux geste, une intonation qui le trahirait, un regard avec une étincelle fielleuse qui y brillerait, quelque chose enfin qui pût me prouver qu'il était coupable.

Je l'ai surveillé avec application.

Je suis très douée pour la surveillance.

Je me suis dit, il finira par retourner à l'endroit où il l'a étranglée. Puis j'écartais cette pensée, je rougissais d'alimenter ce genre de soupçon.

Mais rien à faire, son intimité avec le secret, la facilité avec laquelle il évinçait les possibles visiteurs – demandes téléphoniques et renvoi de l'importun dans ses pelotes –, l'aisance avec laquelle il leur disait, elle est chez sa mère, en se mangeant l'ongle du pouce droit, faisant saigner un tantinet la chair autour de l'ongle, alors léchant son doigt, tétant son doigt avec un petit bruit de flaque, pendant qu'il les embobinait et leur mentait avec désinvolture mais sans panache, sans grandeur, avec juste des menteries vraisemblables, du faux qui ressemblait à du vrai, la légèreté avec laquelle il prenait son absence, son incapacité enfin à élaborer avec moi des scénarios plausibles de disparition m'inclinaient nécessairement à en faire le grand suspect, le premier et le seul de ma liste.

Je le regardais fouiller dans le congélateur pour y trouver de la crème glacée et je passais derrière lui, j'attendais qu'il s'enfermât dans la salle de bains puis je montais sur une chaise, ouvrant la porte du congélo et tentant de sortir de leur caveau les sacs plastique que le gel ne rendait plus translucides, afin d'en examiner le contenu, fourrageant dans le fond glacial de l'engin, fouinant pour y découvrir un indice, un morceau de ma mère transi, une forme vaguement humaine, mais le cénotaphe ne contenait que des lapins pelés et des litres de glace à la vanille.

Je creusais des petits trous dans les murs avec la pointe de mon compas pour surprendre ses conversations téléphoniques si jamais complice il avait eu.

Quand nous nous installions dans la pénombre du salon pour regarder nos films favoris – la vie rêvée des films noir et blanc des années cinquante, la perfection du monde en carton-pâte avec lumière idéale, Clark Gable, James Stewart, Gregory Peck, décor défilant derrière véhicule à l'arrêt, risque zéro –, je choisissais Hitchcock pour contrôler ses réactions devant des histoires d'assassinat, verres de lait empoisonnés, douche sanglante, mensonges en série, triple jeu.

Je me remémorais sa jalousie épisodique contre les amis de maman, les quelques scènes auxquelles j'avais assisté, mais il n'y avait pas là matière à folie meurtrière.

Je persistais tout de même.

Je lui tendais des pièges.

À table, face à lui, pour bien scruter son visage et déceler la moindre crispation douteuse, je lui disais par exemple, je crois qu'elle est partie avec ses chaussures rouges, je n'arrive plus à mettre la main dessus (pensant que s'il l'avait réellement fait disparaître il n'aurait sans doute pas oublié les chaussures que portait son cadavre, espérant qu'il allait lever la tête pour dire, ah non, pas ses chaussures rouges, elle ne portait pas ses chaussures rouges...) mais il grognait quelque chose qui oscillait entre sa désapprobation de ma fouille systématique des affaires de ma mère et son indulgence devant ce qu'il imaginait être mon désarroi face à sa disparition...

Je pataugeais.

Je descendais voir Madame Isis pour l'écouter parler de maman.

Je pataugeais.

Après, et cela fut comme un juste prolongement, je commençai à craindre qu'il ne m'étranglât aussi.

Une fois, ce devait être le vingt-septième jour, alors qu'il était dans la salle de bains pour ses ablutions du matin, la radio chuchotant et crachotant en sourdine sur le lavabo, je me suis postée derrière la porte pour l'espionner. Par le trou de la serrure sortait un air frais comme du lait froid qui me faisait mal à l'œil, je m'y suis habituée, frottant mon œil, reprenant ma posture d'espionne, le cul en arrière, penchée en avant, les deux mains sur les genoux, lui gros et rose derrière la porte, avec trop de peau et de chair, une serviette blanche autour de la taille, et ses seins qui pendouillaient sur son estomac, la rondeur de ses biceps et de son ventre, son regard tendre et absent – oui c'était ça, un regard tendre et absent, c'était bien ça, une sorte de bienveillante indifférence – quand il se mirait dans la petite armoire à remèdes au-dessus du lavabo, il se rasait, il avait le visage moussu et immaculé, j'observais, cherchant un indice, un geste équivoque, lui toujours absorbé dans le bruit blanc que créait le cafouillage radiophonique, pensant sans doute à ses temps meilleurs, avant ma mère peut-être, se remémorant des douceurs ayant trait à son enfance – Monsieur Loyal en gros petit garçon à costume marin, main gauche maman, main droite papa, souriant entouré de ses gros et gentils parents –, se disant sans doute, mais que fais-je donc ici avec la petite Rose frapadingue dans cet appartement qui s'effiloche, que fais-je donc ici ?, ou alors ne se disant rien, Monsieur Loyal ne sortant que très rarement de sa neutralité pachyderme, se souriant dans le miroir, parce qu'il se plaisait ou parce qu'il se regrettait, ou parce qu'il entendait simplement derrière le bruit de cataracte du lavabo, il entendait les crétins, les chansonniers, les ridicules qui gloussaient dans la radio, Monsieur Loyal se souriant longuement, et ce sourire commençant tout à coup à m'inquiéter, ce sourire que je percevais maintenant comme diabolique, je me disais, ses petites canines dépassent aux commissures de ses lèvres, Monsieur Loyal me fait peur, il a peut-être la ferme intention de m'engraisser – et j'ai pensé aux crèmes glacées et aux mille-feuilles – pour me dévorer quand j'aurais atteint le format requis, n'est-ce pas pour cette raison qu'il est toujours plongé dans des livres de recettes, afin de trouver celle qui est la plus appropriée à ma saveur, cailles farcies, civet de Rose, accommodons et servons, ou peut-être va-t-il abuser de moi (abuser, abuser, abuser, aurait dit maman, qu'entends-tu donc par là ?), me tripoter, me peloter, me violer, me forcer à le lécher et le caresser. J'ai été prise alors d'une incontrôlable frayeur. Je voyais déjà les gros titres, après avoir étranglé la mère, il sodomise la fille, je me suis affolée, j'ai reculé, trotté pieds nus sur le parquet, cherché une échappatoire possible, je me suis dirigée vers la porte d'entrée, elle était fermée à triple tour, ce qui pour moi à cet instant n'avait rien à voir avec les nécessités nocturnes de Camerone (histoire de junkies vous menaçant nuitamment avec une seringue, réseau de brigands de cages d'escalier…) mais rien à voir avec la volonté de mon père de me garder pour sa consommation privée, juste à lui, juste pour lui, j'ai observé la porte, les clés sont où, j'ai observé la porte, j'ai désespéré, je ne savais pas où étaient ces putains de clés, j'ai tourné sur moi-même, j'ai entendu au fond du couloir la radio tuberculeuse de la salle de bains, je suis entrée dans la cuisine, j'ai sorti les affaires de sous l'évier, javel, sacs plastique, bombes suffocantes, pour me trouver une place là-dessous et disparaître, il devait bien y avoir un moyen dans cette maison de passer dans une dimension parallèle, et s'il y avait une porte vers des territoires inconnus, c'était bien sous l'évier qu'il fallait se diriger, c'était évident, c'était l'endroit le plus sombre et le plus odorant – une odeur vénéneuse – de la maison, j'ai contemplé le résultat de ma panique, j'avais jeté en vrac sur le carrelage les produits d'entretien, les cirages et les chiffons, Monsieur Loyal allait tout de suite savoir que j'étais planquée là-dessous, alors j'ai abandonné, tourné sur moi-même, il me fallait disparaître, je suis allée dans le salon, je me suis dit, il faut que j'atteigne la terrasse, je serai au moins avec mes lapins, sauf que pour aller sur la terrasse il faut que je sorte sur le palier, et je n'ai pas les clés, il doit les avoir dans son pantalon plié sur le tabouret de la salle de bains, alors j'ai ouvert la fenêtre, j'ai recommencé mes conneries, j'ai enjambé la fenêtre, sauté sur le rebord, il y avait une corniche tout le long de l'immeuble, une corniche qui faisait bien trente centimètres de large, c'était suffisant pour moi, j'étais ronde et minuscule et non sujette au vertige, il y avait du vent sur la corniche, les rafales créaient d'infimes tourbillons qui m'enveloppaient, j'étais en short sur la corniche et je n'avais pas ma cape, j'essayais juste d'échapper à Monsieur Loyal et à sa gloutonnerie, je ne me disais pas que les gens allaient me voir tout en bas, ils ne regardaient jamais en haut et, si tant était que cette idée leur traversât l'esprit, je leur demeurerais invisible grâce au bric-à-brac des stores et des bizarreries rococo de la façade, je suis restée un moment coincée sans bouger pour m'habituer au vent, je n'avais pas peur, je cherchais juste une posture confortable, j'étais sur la face nord, il faisait un froid terrible, le bout de mes doigts était glacé, j'étais en short rose, en débardeur à paillettes sexygirl et en socquettes – bouchonnées sur les chevilles pour ne pas friser le ridicule des chaussettes remontées sur mollets –, je portais des sandales à semelles caoutchouc antidérapantes qui prenaient tout leur sens ici, j'étais en short rose sur la corniche de la face nord, j'ai marché le long de la corniche vers l'angle du bâtiment, vers la lumière, vers l'est, j'ai atteint l'angle, je ne regardais pas en bas les palmiers, les stores, les lilliputiens, les voitures qui étincelaient, j'ai embrassé l'angle de mes deux bras, j'ai réussi à ne pas regarder en bas, je maîtrisais la situation, j'étreignais la pierre, j'étais sûre de ne pas avoir la force de grimper jusqu'à la terrasse, je ne voyais pas bien comment je m'y serais prise d'ailleurs, il n'y avait pas d'escalier de secours ni d'échelle d'incendie, je me suis retrouvée sur la face du levant, la lumière était vive et réchauffait le bout de mes doigts, j'étais à l'abri du vent, il faisait chaud et lumineux, je me suis dit, je vais rester là un moment, je me suis assise sur le rebord de la corniche, j'ai laissé pendouiller une jambe, prise d'une ivresse mesurée, j'ai pensé à Monsieur Loyal qui allait sortir de la salle de bains, chemisette et pantalon lin blanc, probité idoine, bien repassés, il allait m'appeler, d'ailleurs je l'entendais déjà, Rose, Rosita, ma Rose, il allait me chercher, rester perplexe face à la porte d'entrée verrouillée, fouiller la maison, paniquer, il allait regarder par la fenêtre du salon que j'avais laissée ouverte pour voir si je n'avais pas encore une fois sauté, il allait se pencher pour bien vérifier qu'aucun attroupement ne s'était formé sur la chaussée autour de mon petit corps disloqué, rouge-rose et blanc, il allait empoigner le téléphone et appeler Madame Isis, lui demander contre toute logique, Rosie n'est pas chez vous ? et elle le rassurerait, elle lui répondrait, elle doit être sur la terrasse, vous avez dû refermer la porte sans vous en rendre compte, lui secouant la tête, non non ce n'est pas possible, mais sortant quand même sur le palier, bientôt rejoint par Madame Isis, ils monteraient tous les deux sur la terrasse, ils commenceraient à s'inquiéter sérieusement, et là, arrivée à ce stade de ma projection, je ne savais plus pourquoi j'étais sur la corniche et ce que je craignais tant, Monsieur Loyal ne m'apparaissait plus que comme un beau-père sentimental et mélancolique qui ne me voulait aucun mal, j'ai entendu sa voix et l'angoisse qui l'étreignait, je me suis rendu compte tout à coup de l'inquiétude qui l'étranglait, j'ai reculé, je me suis levée, je suis retournée sur la face nord, à tout petits pas, j'ai sauté par la fenêtre, trottiné vers la cuisine et je me suis préparé du pain grillé avec de la confiture, j'ai attendu que Madame Isis et Monsieur Loyal redescendent de la terrasse, aucun des deux n'arrivant à formuler son alarme, et si elle était partie disparue envolée comme sa mère ?, j'ai attendu qu'ils redescendent, bouleversés de m'avoir perdue, ils sont entrés dans la cuisine et m'ont vue attablée, nappe petits carreaux jaunes, glycine qui s'entortillait entre les petits carreaux vinyle, pain de mie et gelée de groseille, moi avec un infime plaisir acide devant leur perplexité, Monsieur Loyal occupant tout l'encadrement de la porte de la cuisine, Madame Isis tentant de jeter un œil, disant, elle est là ? elle est donc là ?, et lui se demandant sérieusement s'il n'était pas en train de perdre la boule, tandis que je m'interrogeais par-devers moi, suis-je si perverse, suis-je une gamine si mauvaise ?, le prenant en pitié puisqu'il avait l'air si pitoyable, soupirant et sachant que de toute façon, dès demain, je recommencerais à mouliner et à imaginer des scénarios terribles et à descendre auprès de Madame Isis pour tenter de voir clair dans l'incommensurable manque que je ressentais depuis la disparition de maman.

18

Quand elle était petite, bien avant qu'elle rencontrât mon père Markus et que leur vie prît cette mauvaise tournure, Rose allait à l'école dans un petit établissement en brique attenant à la mairie de Milena. Chaque matin, Franck, le frère numéro deux, l'accompagnait jusqu'à la porte de l'école. Il refusait qu'elle pût y aller seule. Il l'emmenait toujours trop tôt, parce que, après l'avoir déposée, il partait à la mine d'or, au Chantier, disaient-ils tous, et parce qu'il ne fallait surtout pas être en retard au Chantier. Charles y serait déjà, le contremaître détestait les retards, il pouvait devenir très rouge et hurler et souffler si fort qu'il vous semblait que de la vapeur brûlante allait sortir de tous ses orifices – comme elle sortait des naseaux des taureaux dans les dessins animés de Rose – et il finissait par retirer votre nom de la pointeuse, à force de défaillances de votre part – contrôle quotidien des retards et contrôle aléatoire de votre alcoolémie –, et vous n'aviez plus d'endroit où aller, et il vous fallait quitter Milena ou bien alors choisir un autre métier qui payait moins si vous teniez absolument à rester à Milena pour surveiller les allées et venues de la petite Rose.

Franck déposait donc Rose beaucoup trop tôt, il la laissait dans la cour, sous les marronniers (avec leurs grilles de fer qui protégeaient les racines, qui protégeaient ce petit bout de terre de l'invasion du bitume, et Rose se disait, sous le bitume il y a la terre, il y a de l'argile, de l'or et du terreau, des taupes et des lombrics, toute une vie souterraine et mystérieuse, il y a des ossements et des fossiles, des cadavres et des souris). Rose se retrouvait toute seule dans la cour, c'est donc normal qu'elle pensât aux cadavres et aux lombrics qui trafiquaient dans les sous-sols. Au début elle s'était mise à courir, à sauter à la corde, à jouer à la marelle, et puis elle avait fini par ne plus avoir envie de remplir tout cet espace libre et monstrueux, elle s'asseyait sous un marronnier à moignons et elle lisait des bandes dessinées en grignotant déjà son déjeuner et en se disant, pour justifier ce grignotage prématuré, de toute façon maintenant c'est dedans, alors que ce soit dedans maintenant ou dans deux heures, je ne vois pas la différence, mangeant son salami et sa mortadelle, tirant avec ses dents sur le pain de la veille qui prenait une consistance élastique pendant la nuit, croquant sa pomme et son petit bout de chocolat noir, repue bientôt et bien avant que les enfants arrivent, débarrassée de sa corvée alimentaire, libre de sa journée.

À quatre heures, Franck prenait sa pause, allait chercher Rose à l'école, la ramenait en vitesse à la maison sur son vélo – Rose assise sur le porte-bagages, perpendiculaire à la route, les jambes pendouillant sur la droite du vélo, toujours sur la droite du vélo, sentant juste le vent jouer dans ses cheveux et les à-coups du pédalier dans ses fesses, se tenant fermement à la selle où Franck ne posait jamais son cul parce qu'il faisait tout en danseuse, Franck, il montait la côte jusqu'à la maison, il déposait Rose et redescendait la route en soulevant les pieds et en faisant jaillir des cailloux, des graviers, des coquilles d'escargots, écrabouillant tout le monde, répétant juste entre ses dents, vite vite, retournant au Chantier, où il travaillerait un peu plus tard que chacun, à cause de la pause qu'il avait prise, moqué par ses camarades (elle est pas en sucre, ta Rose) mais souriant, souriant à Charles et à chacun des types qui bossait à la mine d'or, s'entêtant, front buté d'herbivore, heureux maintenant qu'il savait Rose en sécurité dans la maison, n'écoutant pas les sarcasmes, souriant toujours, soulagé jusqu'au lendemain, surveillé par Charles qui n'osait pas le bousculer, qui n'osait pas perturber sa méditation de ruminant et qui finissait par hausser les épaules, jusqu'au moment où la sirène se mettait à hululer, leur signifiant arrêt et repos, jusqu'au moment où Charles allait à son vestiaire et se rhabillait et s'en allait tandis que Franck rattrapait seul tout ce temps perdu à protéger Rose de ses ennemis invisibles.

19

J'ai assez vite pensé au lion de Monsieur Loyal.

La seule chose dont j'étais sûre à propos du prétendu cirque de Monsieur Loyal c'était qu'il abritait un lion qui vivait paisiblement derrière des grilles en ne faisant pas grand-chose d'autre que manger, sommeiller et tourner un peu pour se dégourdir les coussinets. Le lion était vieux et asthmatique, il avait les dents cariées et gémissait toute la nuit quand sa denture le faisait souffrir. Monsieur Loyal disait, Rufus doit voir le dentiste, ou bien Rufus a des aigreurs d'estomac – ses remarques avaient toujours un lien avec la santé de Rufus. Monsieur Loyal avait toujours dit qu'il gardait Rufus pour lui rappeler sa vieille vie (quand son cirque était bien un cirque sans doute), parce qu'il n'avait pas le cœur de s'en débarrasser, même si le nourrir lui coûtait une fortune – ainsi que le mentionnait régulièrement un Monsieur Loyal raisonnable qui s'adressait à un Monsieur Loyal sentimental, les deux Messieurs Loyal s'équilibrant assez pour que ne découlât de leur dialogue qu'une inertie d'enclume.

Quand maman vivait encore avec nous, la seule chose qu'elle acceptait de dire à propos du cirque de Monsieur Loyal, c'était qu'on y trouvait un vieux lion et qu'elle y avait travaillé en des temps reculés. Si je demandais à aller au cirque de Monsieur Loyal, elle répondait, ce n'est pas un endroit pour toi. Ce qui en soi était déjà une remarque surprenante mais recélait en plus une prohibition qui avait trait me semblait-il à quelque chose de monstrueux. Si j'insistais en disant, mais j'ai quinze ans maman, elle me répondait, tu fais au bas mot deux fois moins. Elle me regardait gentiment, se radoucissait et me répétait, n'y pense pas, n'y pense pas, n'y pense pas.

Docile, je m'étais donc interdit pendant longtemps d'y réfléchir.

C'est-à-dire que si une pensée furtive à propos de ce cirque filait dans mon esprit, je convoquais tous mes gardiens privés et ils bloquaient les issues, encerclant la pensée malsaine et l'étouffant en s'asseyant dessus. Éradiquant ainsi la pensée mauvaise.

J'avais peu souffert de ne pas être allée au cirque de Monsieur Loyal.

Jusqu'à la disparition de maman.

Où j'ai soupçonné un lien entre ce cirque et l'absence de maman.

Et où j'ai pensé au lion.

C'était l'automne à Camerone. L'air avait pris une teinte dorée, même la plage en polystyrène et ses coquillages pilés adoptaient une lumière rousse comme de l'ambre.

Je me suis dit, l'été prend fin, maman n'est pas rentrée. Mon père n'avait fait que temporiser et remettre au lendemain la résolution de l'énigme, il n'avait pas appelé la police et plus il tardait à avertir les autorités plus son atermoiement était louche, cela faisait quarante jours maintenant qu'elle avait disparu, les excuses qu'il avait bricolées au départ qui s'adressaient au patron de la boutique de bonbons et à son professeur de danse, elle est retournée chez sa mère, avaient suffi à chacun, tout le monde était revenu à ses préoccupations propres, il n'y avait que Madame Isis, Monsieur Loyal et moi qui doutions sérieusement que maman pût réapparaître un jour et que ce doute taraudait – par moments pour certains, de façon continue pour moi.

Monsieur Loyal avait fini par me dire, attendons décembre, attendons Noël, si elle n'est pas revenue d'ici là nous aviserons.

Je le regardais avec perplexité.

Il ne me semblait pas trop tôt pour aviser. Et Noël était encore à des milliers d'années-lumière.

J'étais confrontée à l'immobilisme abyssal de Monsieur Loyal.

J'ai fini par me demander, que va faire de moi Monsieur Loyal après Noël ? Je scrutais dans son regard des signes de lassitude ou de désamour mais Monsieur Loyal m'accordait toujours son attention tranquille. Je continuais à penser contre toute vraisemblance que s'il avait été mon vrai père il m'aurait été attaché plus solidement par un lien qui avait trait à son ADN et à la duplication de ses cellules dans mon corps et que cette évidence biologique l'aurait contraint à ne jamais m'abandonner. Le fait qu'il avait aimé ma mère disparue me semblait insuffisant pour ne pas effiler la cordelette qui nous reliait.

J'ai passé alors moins de temps sur la terrasse ou alors si mais plus jamais seule, accompagnée la plupart du temps par Madame Isis, une Madame Isis outillée, avec ombrelle, mantille sur les épaules, sandales en mousse comme pour sortir du bain – elle devait penser réussir à pomper toute la transpiration de son corps grâce au contact de la plante de ses pieds avec l'éponge –, boudinée dans ses robes d'intérieur papillonnesques et soupirant sans cesse, il n'y a plus d'automne, ajoutant pour elle-même, les feuilles se racornissent et tombent mais on continue à être en plein cagnard, hochant la tête. Elle soufflait par petits coups comme pour ventiler son corps avec soin, je regardais les bretelles de son soutien-gorge qui lui sciaient les épaules, cette couleur fanée des vieilles lingeries, une couleur aigrelette de crasse fine, de crasse indélébile, une couleur qui jamais ne reprendrait sa fraîcheur d'antan, quelque chose qui avait à voir avec la mort des objets, je pouvais passer des heures à scruter les bretelles de soutien-gorge de Madame Isis en devinant leurs petits nœuds en forme de papillon et en m'interrogeant sur les motifs incrustés dans la chair de Madame Isis, là, dans le gras de son épaule. Elle lisait des fascicules sur les dangers domestiques, les risques qu'on encourait à organiser des barbecues-parties dans des sous-bois pendant la canicule avec une demi-douzaine d'enfants de moins de vingt-quatre mois autour de soi. Elle semblait toujours très absorbée par ces brochures que distribuait la municipalité. C'était fascinant de la voir si absorbée par tous ces encarts en couleurs, ces dessins humoristiques, tous ces points d'exclamation qui vous mettaient en garde contre les vicissitudes du monde moderne. Quand elle n'était pas plongée dans la liste des dangers qu'elle évitait en n'ayant pas d'enfants et en n'organisant jamais de barbecues-parties, elle me parlait de maman, de l'automne, de Monsieur Loyal, du lion de Monsieur Loyal – et moi, me répétant, ne serait-elle pas en train d'insinuer quelque chose ? –, elle revenait à maman, à ce qu'elle savait des Noëls dans le village où avait vécu maman et j'avais envie de la secouer, de lui dire, expliquez-vous, je ne veux pas de vos insinuations, mais il eût été impossible de la secouer, cela aurait produit un bruit de muqueuse contre muqueuse, et l'idée même de ce bruit effroyable m'asséchait la gorge. Nous examinions les raisons possibles d'un départ volontaire de maman, peut-être pour aller rejoindre Markus pour le sortir de prison (ce qui eût pu être la solution idéale... mais cette hypothèse s'effondrait d'elle-même parce que maman ne serait pas alors partie sans argent, sans vêtements de rechange et sans moi...), j'ai fini par juste demander, puisque c'était la seule question que je me sentais permise de poser, j'ai fini par demander, mais si mon père n'est pas directeur de cirque, que dirige-t-il donc ?, et elle a soupiré longuement, elle a dit, ce sera motus là-dessus, on est bien d'accord ?, j'ai acquiescé en regrettant déjà de m'être avancée si près des secrets qu'on entretenait autour de moi comme on entretient un jardin, ça restera entre nous n'est-ce pas ?, j'ai de nouveau opiné très sérieusement, elle a gardé le silence pendant quelques instants pour ménager ses effets, répétant juste comme par-devers soi, il n'y a plus d'automne, et reprenant finalement la parole, ce n'est pas un cirque, ma prunelle, ce n'est plus un cirque que ton père dirige, c'est, depuis bien longtemps maintenant, un cabaret du nu. Alors je suis restée un moment interdite et j'ai éclaté de rire. Mais pour qui me prenaient tous ces gens ? Pourquoi avaient-ils tant tenu à me cacher la vérité pendant tout ce temps, pensaient-ils que j'étais si fragile, si éloignée du monde, si stupide pour ne pas imaginer que ces choses-là existaient dans cette ville ? Pouvaient-ils imaginer que sur mon échelle des possibles un cirque était un lieu plus favorable, plus irréprochable, plus rassurant qu'un cabaret du nu ? Je riais à m'étouffer, Madame Isis a craint une crise, j'ai tenté de la rassurer d'une main en lui disant, ne vous inquiétez pas, ne vous inquiétez pas. Quand je me suis calmée j'ai juste dit, alors maman n'a jamais été une écuyère ou une acrobate ou une contorsionniste… Et Madame Isis a secoué la tête et a dit, pourquoi t'es-tu mis des choses pareilles en tête, ma prunelle ? non ta maman a rencontré ton papa parce qu'elle cherchait du boulot et qu'elle avait un joli petit cul. Madame Isis, rassurée maintenant, se laissa aller à une quinte de rire modérée, puis elle reprit, peut-être bien qu'elle était enceinte de toi à ce moment-là, mais il faut croire que ta mère ne manquait pas de souffle, elle a dû se dire, le temps que ça ne se remarque pas, je vais aller m'effeuiller dans un cabaret du nu, Madame Isis riait riait, alors je me suis mise à rire aussi pour que ce fût un moment joyeux que nous passions ensemble, pour qu'elle n'hésitât pas à continuer de me dévoiler les arcanes de nos existences, j'avais la gorge comme enduite de poussière de plâtre, je suis à peine parvenue à dire, allons boire quelque chose, j'ai soif, et Madame Isis m'a emmenée boire des citrons pressés dans le petit resto à étudiants où nous allions maintenant régulièrement, et je me disais sur le chemin, ma meilleure amie a soixante-cinq ans, je la regardais marcher un peu devant moi, se dandinant comme une maman cane, et je me disais en me délectant, ma meilleure amie a soixante-cinq ans.

20

Quand Monsieur Loyal a vu Rose, ma mère, pour la première fois, il s'est dit, oh non, celle-là, il ne faut pas l'abîmer. Parce que Monsieur Loyal savait ce que devenaient les filles de son cabaret du nu. Monsieur Loyal, qui avait une éthique du métier, était homme à refuser d'avoir une arrière-salle dans son cabaret, mais il permettait aux filles de rester, après leur prestation respective, au bar avec les clients, elles buvaient et faisaient boire les charlots puis elles les plantaient au zinc ou bien s'en allaient avec l'un d'eux et, à partir de là, ça ne concernait plus Monsieur Loyal.

Monsieur Loyal ne voulait pas savoir ce qu'elles faisaient de leurs atouts, il les mettait juste en garde contre les maladies, il leur parlait d'hygiène de vie, d'alimentation diététique et de préservation de leur capital. Il se répétait, de toute façon elles sont majeures. Elles ont l'âge de provoquer des dégâts et de les assumer.

Monsieur Loyal était un homme sentimental, il faisait équipe depuis des décennies avec Rufus le videur, qui avait joué le clown à nez rouge dans son cirque, Rufus qu'on appelait le lion, à cause du souvenir de sa chevelure avant sa calvitie, ou bien alors par antiphrase, parce qu'il n'y avait pas grand-chose de rugissant chez lui, à part peut-être cette manière de faire travailler les femelles en s'assoupissant clandestinement, entre deux portes, une fesse posée sur un tabouret, les yeux mi-clos, comme scrutateur et méditatif.

Alors quand Monsieur Loyal avait fait entrer Rose dans son bureau (une pièce avec une fenêtre qui donnait sur la cour, mais dont la vue était si minable que les stores étaient baissés été comme hiver, ce qui donnait à l'atmosphère du lieu quelque chose de recueilli et de feutré, ou bien encore quelque chose qui avait à voir avec le fond des tiroirs des armoires métalliques qu'on n'arrive plus à ouvrir totalement et où on a laissé se perdre des prospectus de serrurier et de cordonnier minute et des tranches de pain de mie duveteux et verts, quelque chose de poussiéreux donc, de miteux, de moisi), quand Rose est entrée, Monsieur Loyal s'est dit, c'est une princesse.

Ça ne tenait pas à grand-chose l'admiration qu'il lui voua instantanément, ça tenait au contraste entre la blancheur de sa peau, je vois son squelette au travers, les sourcils noirs dessinés au crayon en arc roman, je vois son squelette et ses veines, et la perruque blonde en nylon qu'elle portait très légèrement de guingois, ça tenait à sa robe, avec de la dentelle et des fleurs de pommier imprimées, parce que les filles qui venaient voir Monsieur Loyal pour faire un numéro de strip-tease essayaient dès l'entrée d'avoir l'air un peu sexy, elles avaient tendance au pantalon en cuir ou au jean clouté, elles avaient le visage corrompu et une propension au tatouage, ça finissait par devenir très difficile de trouver une fille sans une cochonnerie tribale peinturlurée au bas des reins, alors de voir Rose posée sur le bord de son siège dans sa robe à dentelle de fermière amish, avec ses traits sur lesquels jamais le regard ne pouvait se fixer, je vois sa peau et ses sourcils, puis je regarde son œil gauche et son œil droit, d'abord le gauche puis le droit, mais le temps que je regarde le gauche, le droit a déjà changé, c'est comme un passage de saison en accéléré, Monsieur Loyal s'est dit, je ne veux pas qu'elle s'abîme, je vais prendre soin d'elle, je crois que je peux la consoler.

21

J'étais du genre à préparer mes arrières.

Alors j'ai demandé à Madame Isis, si Monsieur Loyal ne veut plus de moi, pourrai-je venir vivre avec vous ?, elle a eu l'air étonné, elle s'est mise à rire, nous étions dans notre boui-boui habituel et elle buvait sa bière, elle riait très discrètement, avec délicatesse, elle venait de me parler de Rufus, le lion qui n'était pas un lion (et moi je me disais, les adultes vont-ils continuer à se moquer incessamment de moi ? trouvent-ils drôle que je croie à cette histoire de félin alors qu'il ne s'agit que d'un vieux vigile arthritique et calvitique, songent-ils un instant que si on me dit lion, moi je pense lion, comment peuvent-ils à ce point me tromper ?), et elle a dit, oui oui ne t'inquiète pas, tu pourras venir à la maison, mais de toute façon je suis sûre que Monsieur Loyal t'aime beaucoup et n'aimerait pas te voir partir. Je me suis dit, oui il m'aime beaucoup, tout comme il aime la glace au caramel et le persil plat dans la salade. Alors j'ai vendu l'affaire, voyez-vous Madame Isis, je vais bientôt quitter l'Institut. Ah oui ? a-t-elle prononcé en faisant un petit signe au serveur neurasthénique pour qu'il remplace son demi vide par un demi plein, j'ai ajouté, ils me trouvent parfaite, voyez-vous. Parfaite, dis-tu ? Ils se demandent même pourquoi je suis chez eux, ai-je tenté d'entériner. Tu es donc guérie, ma poulette ? a-t-elle gentiment demandé. Oui oui, je suis guérie, tout à fait guérie. Et là, j'ai embrayé, je n'ai plus peur des gens, je ne me dépêche plus le matin de descendre l'escalier pour ouvrir la porte de l'immeuble à la volée et surprendre le monde tout dégonflé. Tout dégonflé ? a-t-elle fait. Et j'ai continué de sombrer, oui oui tout dégonflé, je croyais, mais je ne crois plus, bien entendu, que la planète n'existait qu'en ma présence, je croyais, mais c'était quand j'étais petite n'est-ce pas, que c'était moi qui l'inventais, alors je voulais surprendre le monde sans son petit moteur, avec les gens affaissés comme des marionnettes et les voitures immobiles. Immobiles, dis-tu ? Oui oui, comme lorsqu'on appuie sur Pause quand on regarde un film chez vous Madame Isis. J'ai senti que je perdais pied, j'ai poursuivi, mais maintenant c'est bien fini, je ne vole plus dans les magasins… Parce que tu volais dans les magasins ? m'a-t-elle coupé. Oui mais c'est fini, avant je croyais que la population entière était à la solde de ma mère, que les vigiles travaillaient pour elle, que les caissières m'espionnaient pour son compte, alors je chapardais tout ce qu'il était possible de piquer, et chacune de mes sorties triomphales et impunies des magasins me confortait dans cette idée… Ah oui ? Tu étais comme ça toi ? a-t-elle questionné tout doucement. Et moi sentant alors que j'en ai trop dit, mais ayant tant envie de faire confiance à quelqu'un, ne voulant pas piétiner mes chances d'adoption mais désirant lui exposer clairement de quoi j'étais sortie, maintenant que les choses tournaient rond pour moi, moi insistant, Madame Isis, l'Institut va me libérer, ils ont appelé Monsieur Loyal pour le lui dire, c'est encore secret, mais ils l'ont prévenu. Elle serrant mes deux mains dans les siennes, c'est merveilleux ma petite chérie, et moi me rendant compte qu'elle n'a pas cru un mot de mes balivernes ou plutôt qu'elle ne croit pas à ma guérison, qu'elle ne pense pas d'ailleurs à m'adopter ou adopter quoi que ce soit d'autre qu'un serin réplique du précédent, qu'elle aime ma compagnie et ma conversation, boire des bières avec moi et parler de maman, mais surtout qu'elle n'imagine pas avoir un jour à vivre avec moi dans son appartement. C'est ce moment qu'elle choisit pour me dire en me fixant avec cet air à la fois insidieux et innocent qu'elle maîtrise parfaitement, en plus c'est un peu dur pour toi, vu que tu n'as pas de grands-parents, rapport à ta maman orpheline.

Je reste interdite. Je me dis, maman n'était pas orpheline, son père était un trou du cul et sa mère élevait des poules à Milena, maman avait deux frères, j'ai des photos qui le prouvent. Je me dis, qu'est-ce qu'elle raconte la vieille Isis, qu'est-ce qu'elle me chante. Mais je demeure incapable de lui poser la question. Nous voilà toutes deux plongeant dans le silence, avec le percolateur en arrière-plan, les conversations languissantes autour de nous et cet automne brûlant dans la rue, juste derrière la vitrine, cet automne brûlant qui n'en finit pas de se consumer.

22

Dans la maison au-dessus du Chantier, dans la maison de ma mère Rose, les deux frères se sont battus.

Franck et Charles qui sont pourtant comme le pouce et l'index, qui sont l'empreinte et le moule, se sont bagarrés à cause de Rose.

À cause de Rose et de sa peau diaphane, de sa garde-robe parfois trop légère, mousseuse et transparente, qui donne des palpitations à Franck, Franck qui s'insurge au petit déjeuner, tu ne vas pas sortir avec ça, et Rose s'assoit à la table du petit déjeuner, elle dit, ne t'inquiète pas, il n'y a que toi que ça tracasse, ce qui est faux et humiliant, mais Rose lui répond toujours cela parce qu'elle a besoin par moments que son frère se renfrogne et se taise, même s'il lui est arrivé, à Franck, dans des périodes particulièrement douloureuses, de l'alpaguer par le bras, de l'empêcher de sortir, de la plaquer contre la porte d'entrée, de lui déchirer sa robe Liberty, de lui imposer quelque chose de plus montant, comme il le dit toujours, putain, pourquoi tu ne mets pas des trucs plus montants, dans une sorte de désir épidermique de la recouvrir en entier, de la cacher, de la voiler, et quand il la maltraite très légèrement comme ces fois-là, mais très légèrement bien entendu parce qu'il ne peut se résoudre à l'abîmer et ne peut supporter l'idée qu'on fasse (qu'il fasse) mal à Rose, et parce qu'il est malheureux et perplexe, il répète à Rose, c'est toi qui m'obliges à faire ça, c'est ton comportement, Franck niant et se butant, aveuglé, mais sourd également, à tout ce que disent Rebecca, Charles ou Rose, Rebecca qui pourtant prend le parti de la souffrance de son fils et dit pour calmer Rose, il ne s'appartient plus, Franck dans ces moments-là ne s'appartient plus. Et elle rappelle à Rose leur enfance flamboyante quand Franck était simplement le garçon le plus doux, le plus attentionné, le plus protecteur du monde, qui prenait soin de sa sœur et la traitait en comtesse. Rose de son côté, ne se souvenant pas de cet été infini que semble être son enfance à travers la légende familiale, n'est pas toujours prête à comprendre les écarts de son frère.

Et ce jour-là, quand Rebecca et Rose sont revenues dans la vieille Ford de Rebecca qui fait un bruit de cocotte en fonte, quand elles sont descendues pour sortir les courses du coffre, elles ont remarqué qu'il n'y avait pas de lumière dans la maison, ils ne sont pas là ? a fait Rose, et Rebecca a dit, je ne sais pas, ils sont peut-être dans le noir, ce qui n'avait aucun sens, Rose ne pouvant imaginer ce que ses deux frères fabriquaient dans le noir, impossible de jouer aux dames ou de lire le journal, elle n'apercevait pas non plus la lueur bleutée et spasmodique d'ovni de la télé dans la cuisine, elle s'est penchée par la fenêtre pour voir à l'intérieur, avec ses paquets de céréales et de pain tranché dans les bras, Rebecca a dit, avance donc, et Rose s'est un peu inquiétée et puis très vite s'est agacée à cause de son inquiétude même, elle a pensé, qu'est-ce qu'ils font ces deux crétins, même si jamais elle n'avait eu de raison de les appeler les deux crétins, et si on l'avait interrogée à ce sujet elle aurait dit, mes frères, Charles et Franck, mes précieux frères, parce que c'étaient eux qui apportaient subsistance et confort à leur existence à tous quatre, parce qu'il ne fallait pas qu'ils partent de sitôt sinon, couic, plus rien à becqueter, à part les pensions minimales et les œufs des poules dépressives de Rebecca, parce qu'ils étaient les poutres maîtresses de cette maison.

Alors quand Rose est entrée dans la cuisine, les bras si chargés qu'elle n'a pas pu actionner l'interrupteur, elle a buté dans le noir sur le corps de Franck, elle a trébuché et s'est étalée sur le carrelage dans un désordre de boîtes en carton et de packs de bière – roulements à billes glissant, dans une euphorie qui ne visait personne en particulier, jusque sous les armoires, dans le coin aux araignées et aux granulés orange de mort-aux-rats.

Rebecca suivait Rose. Elle n'était pas femme à perdre son sang-froid alors elle a allumé la lumière et gueulé pour bien réveiller Franck et Rose, d'ici qu'ils se soient tous deux brutalement endormis comme ça, de façon ostentatoire, au milieu de la cuisine, frère et sœur imbriqués, membres tout chamboulés, sait-on jamais, il y a de ces choses bizarres et pas racontables qui se passent entre frère et sœur de mêmes père et mère, alors Rebecca a gueulé, elle a juré au préalable et puis elle a gueulé, mais qu'est-ce que vous foutez ?, ce n'est qu'après s'être emportée qu'elle a noté que Rose tentait de se relever et remarqué que Franck avait le visage tuméfié, les deux paupières violettes et gonflées comme après une piqûre de taon, et elle a glapi, presque hystérique à présent – car elle pouvait aussi être femme à perdre son sang-froid –, on nous a attaqués, oh là là là là, on nous a attaqués, ils nous ont tout pris et ils ont tué mon fils, se lamentant, poussant Rose pour pleurer sur Franck, défaillant et gémissant avec emphase et Rose tout debout à côté d'elle, ballante sans ses bières éparpillées aux quatre coins du carrelage et sans ses céréales en boîte, Rose ballante et perplexe, cette femme est folle, cette femme est ma mère, dites-vous ?, il doit y avoir une erreur, vous avez dû vous tromper, Rose se drapant plus serrée dans son man-teau doublure lapin trois tailles trop grand, parce que sentant le vent froid qui remontait du lac aux silures passer à travers les sapins et pénétrer la cuisine, Rose se disant, c'est Charles qui a fait tout ça ?, Charles est pourtant si doux si bon, que s'est-il passé dans cette cuisine, écoutant s'amplifier en elle le tic-tac de la pendule en plastique au-dessus de l'évier, ce tic-tac dépassant maintenant le désespoir de sa mère et ses pleurs incongrus pendant que Franck gémissait en reprenant conscience et que Rebecca le secouait en continuant de crier, tu n'es pas mort, tu n'es pas mort.

Franck n'était pas mort, il était juste contusionné et mauve. Il s'était laissé panser par Rose pendant que leur mère se lamentait en se balançant sur un tabouret avec la régularité d'un bonobo, et il n'avait rien dit. Il n'avait rien voulu raconter de sa dispute avec Charles, Charles qui était redescendu en ville pour chercher des secours, Charles qui avait d'abord assommé Franck à sa propre surprise, Charles si doux si bon, Charles qui n'avait plus supporté d'entendre Franck le provoquer sur son apathie et sur la licence qu'il accordait à Rose, Charles qui avait fini par se foutre en colère parce que Franck insinuait que son indifférence face au comportement de Rose n'avait rien de bienveillant mais bien plutôt dénotait une perversité particulière. Charles qui avait fini par assommer Franck avec cette efficacité des hommes tranquilles, s'effrayant de sa propre force, alors des-cendant trouver secours et puis oubliant, oblitérant totalement cette histoire de secours, et finissant à l'hôtel du pont avec une pute, à boire et boire, une pute, l'unique pute de Milena qui était à la fois jolie, jeune et abîmée, qui avait de l'herpès et des maladies plus subtiles embusquées dans des replis de sa chair mais qui était une pute si douce et si aimante, une sorte de pute modèle dont ils rêvent tous, tendre, fragile et pas bavarde, et qui malgré herpès et maladies subtiles conserve cet air de fraîcheur fanée donnant envie de l'accompagner et de ne plus jamais laisser personne la maltraiter, Charles buvant avec Anna la pute de l'hôtel du pont, buvant et la tringlant bien entendu, debout dans la chambre cinq, la laissant repartir en continuant de boire et en se disant, j'étais allé chercher des secours je crois, mais pourquoi donc, pour qui donc, je crois que j'ai rêvé d'un cerf-volant dans un ciel d'été très bleu, d'un bleu agressif et artificiel, dessinez-moi un ciel d'été, je vous le peindrai à l'acrylique ou à la glycéro en bleu de plafond d'église, ce serait un bleu habité, et Charles sentant sa tête cogner et se disant, faut qu'on ait le téléphone là-haut, je n'aurai plus à aller chercher des secours quand besoin il y a, il faut que je fasse installer le téléphone, ça n'a pas de sens de se couper ainsi du monde, pourquoi maman veut-elle nous couper du monde... à moins que ce ne soit Franck qui veuille que nous restions toujours coincés là-haut... oui c'est Franck qui a tellement peur des attaques du monde extérieur... j'en ai rien à foutre de Franck et de ses conneries avec Rose, il a qu'à la séquestrer, l'étouffer, la ligoter, la bâillonner, allez, il a qu'à l'enfermer dans la buanderie et on en parlera plus, et Charles se souvenant tout à coup de ce qu'il a fait à Franck, des coups sur Franck, se disant, en fronçant les sourcils, doutant sincèrement de ce souvenir, tout aussi artificiel que le ciel bleu du cerf-volant, non, non, je n'ai pas pu frapper Franck, pourquoi je frapperai Franck si fort, je me fous de ce qu'il fait à Rose, il peut bien l'empêcher de sortir et d'agiter son cul pour attirer la racaille de la mine, je me fous de ce qu'il fait à Rose.

23

Il y avait eu le long été de ses quinze ans où il n'avait pas su quoi faire d'autre, Markus, que traîner avec Gino et Leroy, où ils ne savaient plus, aucun des trois, aller à la pêche au petit matin dans le lac aux silures, où ils n'arrivaient plus à se souvenir du temps où ils allaient attraper des salamandres et ramener des seaux pleins de têtards qu'ils laissaient tourner, pourrir et sécher au soleil dans les hautes herbes, c'était le premier été où le fait d'être à trois ne leur donnait pas l'impression d'être une bande mais bien plutôt une triple solitude, attendant, Markus, Gino et Leroy, attendant de savoir ce que leur réservait le monde, mouronnant, et passant le temps en se promettant vaguement de se tirer de là, de Milena, et de ses mines à ciel ouvert, apprenant à conduire en douce sur la bagnole du père de Gino – le seul des trois à avoir un père, pas très reluisant d'ailleurs, plutôt alcoolique triste, mais gentil au fond, sec comme une alouette avec des dents en or et une hernie discale qui le coinçait au fond du canapé et permettait aux trois lascars de faire des tours avec sa vieille Fiat turquoise, le père de Gino leur demandant parfois de le soulever jusqu'à sa bagnole et de charger pour lui le coffre de son barda de pêcheur à la ligne, démarrant et s'en allant pour le lac, en gémissant parce que son dos l'asticotait, garant sa voiture le plus près possible de l'eau, attrapant ses gaules à l'arrière et pêchant depuis son siège conducteur, avec parfois Gino et Markus qui l'accompagnaient, le soutenaient jusqu'à son pliant, lui installaient son épuisette à gauche et sa bourriche à droite (sous l'eau entre les roseaux, avec des canettes au frais), puis remontaient jusqu'à Milena et revenaient vers le soir pour replier le tout, les gaules, l'épuisette et le vieux, le père de Gino leur disant, vous êtes de bons gars, et Gino et Markus ne répondant pas, ne se regardant pas, juste un peu tristes pour le père de Gino.

Markus ne parlait pas des filles avec Gino et Leroy, ils débattaient à propos de musique, de ce qu'ils feraient quand ils auraient beaucoup d'argent, de leur cavale, du temps si long avant la cavale (qu'ils repoussaient depuis toujours et qui n'était finalement pour eux qu'un sujet de conversation reposant et agréable tout autant que le fait d'épiloguer sur un fond de sauce s'ils eussent été gastronomes).

Markus serait le seul à retourner à l'école à la rentrée, au lycée de la ville voisine, les deux autres encore entre deux eaux, ayant déjà abandonné l'école mais attendant d'avoir l'âge de bosser à la mine. Cette distinction ne les différenciait pas trop encore, bien que Markus s'inquiétât parfois de les perdre tous les deux à la fois, ce qui le plongeait certains soirs dans la torpeur, à cause de l'énergie qu'il avait dû déployer pour se faire deux amis, les conserver, alimenter leur relation – alors qu'il vivait dans une caravane et que sa mère n'était respectée par personne –, cette idée d'être abandonné plongeait Markus dans l'angoisse et l'inclinait à soutenir les deux autres en toutes circonstances, c'était donc lui qui aidait Gino à transporter son père du canapé aux rives du lac, histoire d'être là, désinvoltement là, sans diligence suspecte, sans servilité, Markus savait dire Monsieur Gino quand il s'adressait au père de Gino, être au bon endroit quand il le fallait, abuser les adultes dans une sorte de brusquerie intuitive, se révéler séduisant – mais pas trop, pour ne pas que les deux autres le jalousent, et assez pour qu'ils aiment être en sa compagnie – et drôle.

Milena avait été pendant tout cet été une fournaise asphyxiante. Markus s'habillait avec les mêmes vêtements qu'il portait l'hiver, sa mère, tu n'as pas un peu chaud ?, mais lui, dans l'impossibilité de montrer ses avant-bras et ses mollets, se rétractait à l'idée de tout étalage de peau, non non il n'a jamais trop chaud, goûtant d'ailleurs la très légère odeur de crasse qu'il dégageait par moments, mais si légère qu'elle semblait presque une odeur assoupie n'aspirant pas le moins du monde à forcir et se répandre. Les trois garçons avaient surtout passé du temps au bar et au flipper, et, quand ils n'avaient plus d'argent, ils étaient restés dans le salon de chez Leroy, les jambes étendues devant eux, affalés dans les coussins, la télé allumée, ce qui faisait dire à la mère de Leroy, j'ai l'impression d'avoir un salon plein de jambes, vous prenez toute la place, mais elle préférait en général les savoir là plutôt qu'au bar, alors elle leur apportait des Coca et des cendriers et fermait la porte derrière elle.

Markus ne ramenait jamais aucun des deux garçons chez lui, même si sa mère le lui proposait parfois, faisant mine de – ou ne comprenant réellement pas – ne pas comprendre pourquoi il n'invitait jamais personne à dîner chez eux, elle répétant, je les raccompagnerai en voiture après si ça leur fait trop loin ou trop tard, insistant à tel point que Markus finissait par claquer la porte du mobile home, ce qui faisait carillonner la guirlande lumineuse sur le seuil, Markus, malheureux et nauséeux à force de se sentir malheureux, ne pouvant plus supporter sa mère qui se plaignait de ses médicaments contre le cholestérol ou la tension et qui disait, ils me font grossir ces médocs, et quand elle les arrêtait, elle disait, depuis qu'on m'a retiré celui-là je mange tout le temps, ça me donne faim, sa mère toujours victime des médicaments ou de l'absence de médicaments, alors Markus partait rejoindre Leroy et Gino ou décidait de marcher dans la forêt de sapins, juste pour entendre croustiller les épines sous ses pas dans ce bruit gourmand de pain grillé qui depuis toujours le calmait et le satisfaisait autant que de sauter dans les flaques quand il avait huit ans.

C'est ainsi que Markus, Gino et Leroy passèrent l'été à attendre que quelque chose advînt.

24

Madame Isis parle par bribes. Je récolte, j'assemble et j'ajuste les éléments mâles aux éléments femelles, j'étale le soir les éléments mixtes sur le dessus-de-lit dans la chambre dérobée – le garde-manger – et je fabrique quelque chose, j'ajoute à cet appareil une pincée de tout ce que je connais de maman Rose et de Markus, je saupoudre, je colmate et j'invente jusqu'à ce que ça tienne debout, je m'échine à ce que leur histoire tienne debout. Parfois ce labeur me désespère, il me manque trop d'étais, mon pouvoir se délite, clignote et s'évanouit tout à fait. Je n'y arrive pas.

Je parle à Madame Isis de Monsieur Loyal qui continue à se rendre chaque jour, chaque soir à son cabaret du nu, il ne rentre pas tard, la nuit ce n'est pas à lui de surveiller ce qui s'y passe. Depuis que je sais que Monsieur Loyal dirige un lieu de ce genre, je n'arrive pas à trouver l'envie de me rendre au cabaret, même clandestinement, ce qui pourrait être un peu piquant, je n'ai pas envie de confronter ce que j'en devine à ce qu'il en est. Ce sera toujours plus sale, plus odorant, plus vétuste que ce que j'imagine et ce que me rapporte Madame Isis. Je dis à Madame Isis que je trouve l'indifférence de Monsieur Loyal suspecte et tout aussi louche son entêtement à ne pas appeler la police pour retrouver maman. C'est parce qu'il croit qu'elle l'a quitté, me répond ma bonne amie. Cela fait des années qu'il s'imagine qu'elle va le quitter, qu'il n'en revient pas qu'une aussi magnifique créature accepte de partager sa vie. Oui, répète-t-elle, il croit qu'elle l'a quitté.

Je cogite.

Et le soir même je décide de dévoiler à Monsieur Loyal l'existence du journal, de l'article qui concernait mon vrai père, celui avec les valises d'ADN, qui aurait tenté de se pendre avec une corde à sauter dans sa cellule (corde à sauter – cellule, ces deux mots assemblés n'ont pour moi aucun sens, je les accole l'un à l'autre mais rien ne les relie, ils se repoussent comme des aimants, ils sont juste posés sur un plateau de Scrabble, le mot compte triple, et je n'arrive pas à faire une vraie phrase avec eux).

Il est 20 heures, nous sommes tous les deux vautrés sur le canapé (*Gilda* à la télé), nous ne mangeons pas de crème glacée, il commence à faire trop frais, nous grignotons des beignets aux pommes, j'essuie mes doigts poisseux sur mon pull, Monsieur Loyal ne fait jamais de remarques concernant les approximations de mon hygiène, il ne m'oblige pas à me laver, il me laisse mijoter dans la douceur suave de mes vêtements, il ne dit rien quand je me tripote les orteils pendant qu'il mange, et si j'ai les cheveux vraiment sales, il me fait des nattes. Monsieur Loyal est d'une indulgence infinie avec moi.

Alors je commence et je lui annonce, je crois que Markus est dans le coup.

Monsieur Loyal est très doué pour dissimuler ses émotions, à moins qu'il n'ait finalement assez peu d'émotions, il dit juste en continuant de se lécher les doigts, Markus ? J'essaie de deviner s'il cache quelque chose dans ce Markus ?, je l'épie du coin de l'œil mais il ne laisse rien paraître.

Qui est donc Markus ? demande Monsieur Loyal. Il me semble alors indécent de lui dire, c'est mon

père, mon vrai de vrai, ce serait comme de lui annon-
cer une sinistre nouvelle, lui dire, demain il va faire
mauvais pour ta sortie en bateau, ou bien encore, je
crois que ce vilain grain de beauté que tu as là est
une tumeur maligne, je le regarde, fait-il semblant de
ne rien savoir ou bien ne sait-il vraiment rien – ni
maman ni Madame Isis ne lui auraient donc jamais
dévoilé le nom de mon géniteur. Je suis tentée d'élu-
der. Je crois que maman connaissait un homme qui
s'appelait Markus, lui dis-je. Monsieur Loyal traite
l'information avec désinvolture, l'un de ses musiciens ? demande-t-il en scrutant ses doigts boudinés
pleins de sucre, les faisant miroiter comme s'ils
étaient recouverts de paillettes. Je soupire, comment
lui dire que je suis en train de bricoler une adolescence à ma mère disparue, que je passe mes journées
à arranger une rencontre entre maman Rose et mon
père le vrai de vrai. Je ne me sens plus très sûre de
moi, je lui dis, je crois que Markus est mon vrai père.
J'attends le tonnerre et la foudre mais rien ne vient,
je ferme les yeux puis les rouvre, Monsieur Loyal
s'ébroue sur le canapé, sa chemise est toute collante,
il dit, je crois que Madame Isis te raconte trop d'histoires. Monsieur Loyal se lève en soufflant, tu sais,
les femmes qui n'ont pas eu d'enfants, parfois, ça leur
tape sur le système. Il s'éloigne vers la cuisine,
j'entends le bruit de la porte du frigo, son petit
moteur qui se met en marche comme pour accueillir
Monsieur Loyal et lui proposer ses merveilles, regardez regardez sur la clayette du bas, nous avons
aujourd'hui des yaourts aux fruits de la passion, et
sur la clayette du haut une farandole de fromages
dans leurs sachets plastique éventrés, je me concentre sur le ronronnement de l'engin dans la cuisine, je
ne bouge pas, je suis bien trop abasourdie, fixée dans
une perplexité qui me cloue au fond des coussins,
Monsieur Loyal revient dans le salon avec un yaourt
et une cuillère et me dit, on pourrait repeindre ta

chambre ? je la vois bien couleur framboise ou bien d'un vert acidulé, qu'en penses-tu ? Je ne veux pas répondre, je ne veux pas bouger, je suis prise d'une indéfinissable angoisse, je veux comprendre comment les choses s'agencent dans mon existence, pourquoi tout le monde ment avec une candeur idéale, je ne sais plus rien, j'imagine qu'il me faut persister, assembler le puzzle avec ces putains de morceaux qui ne se joignent pas et tenter de pénétrer les arcanes de la vie de maman malgré les mises en garde de Monsieur Loyal.

25

Markus a aperçu Rose en octobre puis il a épié ses allées et venues au lycée. L'idée de la croiser le motivait chaque jour pour se rendre dans l'établissement miteux, prendre le car dans la brume du matin, se coller au fond à la vitre en soufflant pour créer de la buée, dessiner des têtes de mort dégoulinantes, fusiller du regard l'importun qui avait d'aventure pris sa place, éjecter l'importun à force de pression visuelle, s'endormir le long du trajet ou faire mine de s'endormir, penser à Rose avec perplexité, Rose qui ne prend jamais le car, qui vient à vélo (imaginez ses mollets, ses cuisses et les tendons de ses avant-bras), Rose qui n'a jamais froid, on lui a rapporté que chez elle il n'y avait pas de chauffage, sa mère ou ses frères ou l'un de ses frères, il ne sait plus bien, est un peu frappé avec les histoires de modernité et de confort, il paraît qu'ils mangent les œufs de leurs poules et les carottes de leur potager, qu'ils se lavent à l'eau froide dans la cour, que ses frères vont à la chasse, fument la viande et distillent l'eau-de-vie, Markus ne croit pas tout ce qui se raconte, il sait comme il est difficile de passer pour normal quand on habite un tout petit peu à l'extérieur de la ville.

L'après-midi Markus va à la bibliothèque du lycée, il se poste assez loin d'elle, il ne sait pas trop pourquoi elle l'impressionne tant, il ferait sans doute mieux de rentrer à Milena pour aller voir Leroy et Gino, bosser un peu ses leçons, glander avec eux, attendre que l'un d'entre eux devienne brutalement riche ou célèbre, il ferait mieux de ne pas perdre son temps, fixé sur cette fille qui reste des après-midi entières à ne pas le remarquer (fais-je vraiment partie de son espace-temps ?) et à étudier – ou peut-être non, à ne pas étudier, peut-être Rose ne fait-elle que demeurer immobile dans le silence froufroutant de la bibliothèque afin de retarder le plus possible le retour à la maison, sachant que de toute façon son frère Franck sera là à la porte du lycée, à côté de son vélo, guidon dans la main droite, raide comme un if, imperméable au moindre quolibet, Franck qui ne peut simplement pas supporter l'idée que sa sœur rentre seule, il faut se représenter le répit qu'elle vit à rester des heures durant dans le chuchotis de la bibliothèque, loin de Franck, le menton posé dans la main, rêvassant avec cet air particulier qu'elle a mis au point, un air de concentration extrême, « ne me dérangez pas », un air de jeune fille absorbée, les yeux légèrement plissés, pour mettre au défi qui que ce soit de venir l'importuner au milieu de sa médita-tion.

Markus se dit, dans une semaine je lui parle.

Et puis brutalement, à partir de la mi-novembre, il se rend compte qu'elle ne vient plus au lycée. Il la cherche un premier jour. Il gèle blanc maintenant le matin, les pierres autour du lac, celles qui contien-nent de l'eau, se fendent et claquent, on les entend dès les premières heures du jour. Il va bientôt neiger. Markus se dit que c'est l'hiver qui empêche Rose de venir au lycée, qu'elle ne peut plus prendre son vélo, ou bien que son frère Franck, qui se traîne au Chan-tier et ailleurs une réputation de brute taciturne, lui interdit de retourner à l'école, Markus s'inquiète, il se voit déjà en sauveur, il se dit, je vais monter sur la colline, je vais traverser la forêt au-dessus de la mine, et je vais aller voir l'endroit où ils habitent, je vais en avoir le cœur net, personne ne peut retenir ma Rose (mon Dieu, il dit déjà ma Rose, il est perdu, Markus), quelques jours passent, Rose ne réapparaît pas, Markus décide d'agir le dimanche suivant.

Le samedi matin, Markus se réveille, ce n'est d'ailleurs plus tout à fait le matin, il est quelque chose comme 11 heures, sa mère lui a laissé un petit mot, tendre, gentiment directif, Markus lit le petit mot, elle a écrit, il a neigé, avant de lui détailler le menu possible qu'il peut se concocter dans le frigo, alors Markus lève le nez, ouvre les rideaux, et il opine pour lui seul, il a neigé.

Ça ne fera que compliquer son affaire du dimanche mais son expédition lui apparaît du coup pleine de hardiesse. La perspective de monter le lendemain jusqu'à la maison de Rose pour savoir si quelqu'un la séquestre crée de légères palpitations dans sa poitrine. Il a l'impression d'avoir le sternum qui pétille.

Dans la journée du samedi, Markus appelle Leroy et Gino qui n'ont pas l'air en forme et dépriment doucement chacun dans sa chambre. Ils bavardent longtemps au téléphone et décident de ne pas bouger de chez eux. La neige les attriste, elle n'a plus ce pouvoir euphorisant qu'elle détenait quand ils étaient enfants.

Alors Markus finit la journée en regardant des dessins animés japonais.

Markus aurait aimé dessiner ou bien alors habiter dans l'un de ces films d'animation où les filles ont les yeux disproportionnés, avec des facettes multicolores et des éclats brillants dans l'iris, il aime leur nez minuscule et leur corps de lierre, elles ont souvent l'air hautaines, furieuses et toutes-puissantes, leurs cheveux semblent plastifiés, comme immobilisés dans de la résine.

Markus est resté avec sa télécommande dans la main droite et une bière dans la gauche. Il sent l'odeur piquante de la neige qui s'annonce de nouveau pour cette nuit, ça passe sous les portes, dans chaque interstice du mobile home, dans les microscopiques fissures du gel, il a mis le chauffage et fermé les issues, l'odeur de la neige a persisté, elle a lutté contre la chaleur électrique, le brouillard est monté du lac pour s'installer lui aussi à l'intérieur du mobile home, il en fera le siège et, dès que la mère de Markus poussera la porte, il s'engouffrera avec elle dans l'espace réduit qu'ils habitent.

Markus s'est levé pour jeter un œil dehors. La neige a recommencé de tomber, il a allumé la guirlande électrique du porche qui clignote comme si leur caravane était un gros sapin de Noël. Markus a posé son front contre la vitre, elle est froide et humide, son front clignote aussi, je vais devenir épileptique, se dit-il.

C'est alors qu'il entrevoit quelque chose arriver dans la neige qui tourbillonne au-dehors. Il colle son nez sur le verre mais ça crée de la buée, il n'y voit plus rien. La lueur fantomatique de la caravane chute sur le sol juste à un mètre devant lui. Les ampoules de couleur doivent donner à leur abri les allures d'une jonque ou d'une baraque à beignets en plein brouillard. Au-delà du reflet de la lumière sur la neige, c'est le noir complet, un noir juste agité des soubresauts des flocons, une sorte de tempête spectrale de minuscules météorites. Et là, dans ce noir qui semble manger la lumière, il aperçoit de nouveau la silhouette. Elle disparaît et réapparaît, plongeant et s'extrayant de l'obscurité avec la fréquence et la brièveté d'un noyé qui s'épuise. Markus se dit, c'est peut-être un chien ou un yeti ou un cinglé alcoolisé tombé en panne qui aperçoit les ampoules s'agiter dans la tempête, Markus soupire, enfile sa parka, capuche, fourrure acrylique, fermeture Éclair remontée, il pousse la porte de la caravane, les ampoules volent dans le vent et brimbalent contre le toit en plastique comme des petits cadeaux qui s'entrechoqueraient au fond d'une hotte, Markus réussit à maintenir la porte ouverte malgré les bourrasques, il entend sa mère lui dire à l'oreille cette phrase qu'elle lui assène constamment, la chaleur s'en va, tu fais entrer le froid, ce qui lui a toujours évoqué un cube rempli d'air, avec une quantité d'air donnée, de l'air qui est préférablement chaud mais peut être remplacé proportionnellement par de l'air froid le pernicieux. Markus scrute les ténèbres, il gueule, il y a quelqu'un ?, s'étonnant lui-même de sa voix qui ne porte pas et semble tomber tout droit dans un réservoir de coton. La silhouette resurgit, elle semble prise dans de longs voiles, il se dit, un elfe ?, elle tombe à chaque pas, Markus saute les trois marches du seuil, atterrit dans la neige et s'enfonce jusqu'aux chevilles sur le chemin qui est censé être dégagé, il court vers l'ombre grise qui se détache sur le noir profond des sapins, il sent son cœur battre la chamade à l'idée de sortir quelqu'un de là, envahi par la même joie qu'il aurait à réchauffer un bébé lapin orphelin ou bien un merle jeune égaré, Markus court en haussant les genoux, il s'approche de ce qui est recroquevillé là, il soulève cet amas de tissus et il reconnaît Rose voilée – quel drôle de rêve, se dit-il – sur ses hauts talons brisés – mais pour quelle raison n'a-t-elle pas ôté ses chaussures invraisemblables, imaginait-elle que leur surface minimum pourrait la protéger de la neige ? –, Markus s'interroge sur la présence de ses chaussures à brides, pas du tout sur ce qu'elle fait ici dans ses voiles rose tarama au milieu d'un blizzard qui annonce Noël, les bonnets rouges, les démons à grelots, les fenêtres et les vitrines avec déco *ad hoc*, des décos qui restent parfois avec leur air de vieillerie jusqu'à la fonte des neiges, jusqu'en avril chez certains – mais pourquoi donc finissent-ils par les retirer, autant les laisser là, les guirlandes et les incantations inscrites avec les bombes de neige artificielle, pourquoi ne les laissent-ils pas en place jusqu'à l'année prochaine ? Markus préfère épiloguer sur ces choses-là plutôt que de se réveiller. Il se dit, elle a cassé sa bride et ses talons, c'est incroyable qu'on puisse à ce point se tromper de chaussures. Il la soulève dans ses bras, il pense, elle est lourde et froide pour quelqu'un qui habite mon rêve, il la soulève et se sent la poitrine large et frémissante, je lui sauve la vie, laissez-moi lui sauver la vie, sans moi elle aurait gelé, il se dirige vers la caravane, sans moi elle aurait gelé, il la ramène vers la lumière, en faisant de grands pas dans la neige et en se disant que les corps des femmes sont plus denses qu'il n'y paraît, en se disant, je ne sais pas réanimer quelqu'un, j'ai loupé tous les cours de secourisme, je vais déjà la mettre au chaud, oui c'est ça, et j'appellerai maman, puis revenant sur sa décision, je vais la mettre au chaud mais je n'appellerai pas maman, elle va s'affoler, rappliquer avec Agathe ou Lucie ou Marie, ça va piailler là-dedans et je ne serai plus seul avec Rose, marchant dans la neige, avec le froid qui lui picote les narines et lui brûle les mains, il grimpe les marches, Rose est bleue, elle va peut-être mourir, et la guirlande carillonne dans la nuit, Markus referme la porte derrière lui avec son épaule, et il dépose Rose, qui n'est plus bleue, mais bel et bien grise, d'une couleur si subtile qu'il lui semble percevoir le réseau compliqué de ses veines, il se dit, je m'installe dans ce rêve, je n'en sortirai que quand ça deviendra dangereux, il la dépose sur la banquette, je n'en sortirai que quand ça dérapera, il n'ose pas la ramener dans sa chambre, la banquette a de grands carreaux orange et vert, la housse est râpée, Markus se dit, mais que fait donc Rose ici, remarquant qu'elle est pieds nus à présent, n'osant retourner dehors pour aller chercher ses chaussures, parce que s'imaginant qu'elle va se volatiliser, Markus fouillant pour trouver un oreiller et une couverture, hésitant à appeler Gino ou Leroy, décidant que non, ce serait une mauvaise idée de les mêler à cette bizarrerie, regardant Rose respirer, cachant sous la couverture les bras et les jambes de Rose qui lui semblent sombres par endroits comme si on l'avait rouée de coups.

Markus veille Rose, sans tenter de deviner ce qu'elle faisait là par une nuit aussi froide dans sa nuisette, il empêche l'accès à son propre questionnement, la veillant simplement, faisant le vide complet sur sa trouille ou sa curiosité, la veillant jusqu'à ce qu'elle ouvre un œil, l'aperçoive et se recroqueville en tirant haut sous son menton la couverture, et Markus lui adresse des gestes apaisants des deux mains, avec dans l'idée, c'est évident, de lui montrer qu'il ne porte pas d'arme, ni couteau ni tuyau coudé, lui répétant, ne crains rien, ne crains rien, je te prépare quelque chose, ne sachant pas trop quoi lui préparer, essayant de trouver une phrase d'adulte, un truc que pourrait dire sa mère quand elle ne fait pas l'enfant, il dit, je te prépare un thé, je te prépare quelque chose de chaud, il aimerait bien lui préparer du thé, mais ce n'est pas le genre de boisson que sa mère affectionne, tu me reconnais ?, fouillant dans le placard pour trouver un pot de confiture reconverti dans lequel sédimenteraient de vieux sachets de thé, je suis Markus, allumant le gaz en se disant, ça aura un goût de poussière mais ce sera chaud, souriant vers elle qui ne sourit pas, commençant à se rendre compte qu'il ne s'agit pas d'un rêve, que les sensations sont trop réelles et que le temps s'étend avec une lenteur crédible, elle n'a pas l'air d'avoir peur mais bien plutôt d'être déjà en colère, son corps tremble comme pris de frénésie, qu'est-ce qu'elle a ?, c'est le choc ?, Markus se pose les bonnes questions tout à coup, à propos de la possible agression, du possible viol, j'aurais dû appeler la police, et puis il oublie aussitôt, il se concentre pour emmagasiner cette scène dans sa mémoire, il sait qu'il va avoir besoin de se repasser en boucle ce qui s'est déroulé cette nuit.

Markus est resté debout adossé à l'évier et il l'a regardée se brûler les mains et les lèvres avec le bol – quelque chose de malséant, un bol qu'il a dû offrir à sa mère quand il était gamin, avec un message mièvre « à la reine des mamans » qui l'émeut encore, parce qu'elle a gardé le bol, et l'agace, parce qu'elle a gardé le bol. Markus a croisé ses bras mais cette posture lui donne l'air d'une vieille dame alors il enfonce les mains dans ses poches en se disant, si maman rentre elle ne va rien y comprendre, le toit du mobile home cliquette en gelant lentement dans la nuit, Markus respire fort pour sentir l'odeur de vieux coussins du mobile home, une odeur mélangée à celle de vanille – reconstitution chimique d'une probable vanille – de l'eau de toilette que porte sa mère en ce moment, une eau de toilette de jeune fille un peu écœurante. Rose ne dit rien et ce silence rassure Markus, incapable et épuisé déjà à l'idée de raconter sa vie ici avec sa mère, de parler du lac aux silures, de la rivière et du frasil et du bruit du frasil sous la surface des eaux, abasourdi brusquement de la pauvreté de son existence où il n'y a rien d'autre que le lycée et son échec annoncé au lycée, où il n'y a rien d'autre que son ennui profond, la lenteur que met le monde à s'ordonner, la lenteur des journées, encore tellement de temps devant moi que je ne sais qu'en faire, et Markus se sent si abattu devant Rose à l'idée de l'ennui infini de sa propre existence.

« Tu veux qu'on appelle quelqu'un ? »

Elle n'a pas répondu. Elle ne reprend pas encore couleur malgré le thé brûlant et la couverture, tant et si bien qu'il se demande, ou plutôt qu'une pensée lui traverse l'esprit, c'est un fantôme, j'ai recueilli le fantôme de Rose, se reprenant, secouant la tête mais l'idée persistant, elle est morte cette nuit sur la route et son fantôme errait dans la forêt de sapins, frissonnant malgré lui en entendant une rafale chargée de neige dehors,

« Tu veux qu'on appelle quelqu'un ? »

mais n'obtenant toujours pas de réponse comme si elle était sourde, comme si elle avait perdu l'ouïe dans tout ce froid, que ce froid avait traversé la paroi de ses tympans et définitivement endommagé l'oreille interne.

Elle n'a rien dit, même pas quelque chose comme, c'est dingue d'habiter là-dedans, elle n'a pas dit, tu es un gitan, une sorte de manouche ? Elle a regardé ses propres bras, qui étaient couverts de bleus, et puis elle a enfin parlé, tu peux me prêter des vêtements ?, quelque chose de chaud qui cache mes bras et mes jambes, et lui Markus, heureux de pouvoir s'activer, allant dans sa chambre, fouillant et ne trouvant que des choses sales et chiffonnées, reniflant ses maillots, grimaçant, jurant en marmonnant, dénichant un pull, un jean, retournant auprès d'elle, la prévenant, je ne peux pas te ramener, ma mère travaille de nuit, elle est partie au boulot en caisse, elle secouant la tête, enfilant au-dessus de sa robe de soirée baisez-moi les habits qu'il lui propose, souriant un peu, je suis désolée, mais n'expliquant rien, vu qu'il n'y a rien à expliquer, disant, je vais y aller à pied, et lui, répondant en faisant des gestes des deux mains comme pour lui barrer le passage, reste ici, attends le matin, il y a des saloperies sauvages dehors, n'osant pas dire qu'il y a les silures qui remontent du lac, que ces bestiaux peuvent faire quatre-vingts kilos, et elle, surprise, il n'y a pas de loups par ici, Markus lui disant, il est cinq heures du matin, et en même temps qu'il le dit, se faisant la réflexion comme au second degré que sa mère n'est pas rentrée, qu'elle a dû rester bloquée par la neige, ne pas appeler pour ne pas le réveiller et aller coucher chez Agathe ou Lucie ou son mec, son intermittent, qui travaille au Chantier.

Elle a pâli si c'est possible encore, prenant cette fois une couleur de céramique, de perle morte, et lui, je t'accompagne, je t'accompagne, on va choper le car qui passe derrière le lac, le premier car qui passe dans les cinq heures et demie, et elle s'accordant à cette solution, enfilant des chaussures à lui, ce qui lui fait des pieds de chat botté, disant juste, je suis pas bien en forme, et en sortant, remarquant, sans rien dire de plus du fait d'habiter dans une caravane avec des parpaings, remarquant la guirlande, c'est joli, dit-elle, lui derrière elle avec sa lampe torche, se résolvant à ne lui poser aucune question, songeant, j'aimerais bien avoir un chien, un braque, il nous accompagnerait dans la nuit, la neige s'étant arrêtée de tomber, dans cette torpeur étrange des heures qui précèdent l'aube, avec juste le bruit de coton compressé que font leurs pas, ce grincement de la neige, et la silhouette noire encore, d'un noir de tombeau, des sapins devant eux, tous deux marchant côte à côte, dans l'impossibilité de se toucher, les mains dans les poches, lui se disant, elle est costaude, persuadé qu'il est encore, dans sa naïveté mâle, que les femmes sont fragiles et manquent d'endurance, se répétant, et cette phrase rythme sa marche, se répétant qu'il n'y a pas de sang sur elle, que ça n'a pas dû être aussi horrible qu'il l'imaginait, et ses pas font, pas de sang, pas de sang, ce bruit régulier des choses qui nous murmurent des messages, il entend, pas de sang, chaque fois qu'il fait un pas, elle disant, alors qu'il aperçoit déjà l'arrêt de bus et sa lumière fantomatique loin derrière les sapins, elle disant juste, j'étais avec des blaireaux, ils étaient complètement ivres, j'ai préféré ouvrir la portière et sauter de là avant que ça tourne mal, lui soulagé et reconnaissant qu'elle lui donne cette explication et se répétant, c'était une bonne idée la guirlande lumineuse, c'est ce qui l'a fait venir vers moi, lui satisfait et couillon, se disant, je réfléchirai à cette nuit extravagante plus tard, demain peut-être, apercevant le car qui arrive avec ses phares perçant l'obscurité et le bruit visqueux, les giclements de neige autour des pneus, lui se disant très vite, elle ne va pas pouvoir disparaître comme ça, il faudra bien qu'elle me rende mes habits, rassuré à cette idée alors qu'elle se tourne vers lui, se hausse sur la pointe des pieds, l'embrasse sur la joue et, peut-être pour reprendre son équilibre, lui effleure la main droite, lui tient cette main un instant, juste une fraction de seconde, le temps qu'une seconde met à se diviser en centaines de morceaux, mais au moment où elle pose le pied sur la marche du bus elle a toujours ses doigts qui touchent les siens, il sent son cœur se renverser, c'est un émoi précieux, il veut se souvenir du contact de ses doigts dans ce petit matin, elle monte dans le car, ne paie pas son voyage, s'installe à l'arrière, lui fait un petit signe de la main, et Markus maintenant tout seul sous la loupiote de l'arrêt, Markus qui regarde partir le car, ressent une absolue solitude qui se niche très exactement sous son plexus solaire, Markus qui se demande ce qui vient de se passer et espère que l'apparition de Rose dans cette nuit froide va définitivement briser son ennui.

26

Markus s'est baladé en ville pendant toute la période qui a précédé Noël, il n'avait aucune envie de traîner avec Gino et Leroy, leur raconter le surgissement de Rose au milieu de la nuit – son histoire devait rester secrète, il ne pouvait en parler au risque de lui faire perdre son caractère miraculeux, il se repassait en permanence la scène de Rose fantomatique marchant dans la neige avec ses meurtrissures, il dévidait la bobine, choisissait d'arrêter le défilement sur le petit signe de la main qu'elle lui avait adressé dans le car quand elle était partie juste avant l'aube, décidant d'y lire une promesse, se surprenant parfois à la béatitude, souriant, alors qu'il n'y avait décidément pas matière à sourire, retombant alors, comme pour se reprendre, dans une déclivité du terrain, se disant, je suis un crétin, se le répétant incessamment comme pour couper court à son romantisme naturel.

Markus traînait au supermarché parce que c'était un endroit chauffé et gratuit – tant qu'on n'y achetait rien –, c'était mieux que la caravane, mieux que le restaurant où sa mère était serveuse, mieux que la bibliothèque du lycée où Rose n'allait plus. Et puis comme il était dans une période où son esprit lui proposait des résolutions féeriques à sa situation, l'approche de Noël le confortait dans la possibilité d'un enchantement du monde. Markus tripotait les couronnes, les calendriers de l'avent, les lutins barbus, les gâteaux cannelle et fruits confits translucides comme des billes, des calots, des œils-de-chat, il pataugeait dans la neige fondue sur le carrelage, restait en station devant les étalages comme s'il comparait les prix des volailles, et s'imbibait de la musique poisseuse – carillons électroniques et cloches tintinnabulantes – entrecoupée des braillements d'un vendeur à la sauvette qui glapissait dans son micro pour attirer les chalands sur son stand de fromage aux herbes. Markus préférait rester à l'intérieur du supermarché plutôt que de ressortir, à cause des bottes en poil de bête, des pantalons en velours et des chapeaux brodés qu'ils arboraient tous dehors, à cause des énormes flocons de neige en néons et des étoiles filantes bringuebalant aux réverbères. Markus préférait bouder à l'intérieur du magasin même si sa mine renfrognée n'intéressait personne – parce qu'il y avait beaucoup de gens comme lui que l'approche de Noël semblait rendre moroses ou tout bonnement terrifiés. D'ailleurs le vigile n'avait pas encore cru bon de lui demander ce qu'il foutait là toutes les après-midi à ne rien acheter et à musarder dans les travées de ce triste territoire en triturant ses clés au fond de sa poche ce qui créait en permanence un tintement de petite monnaie.

Markus n'a pas été surpris quand il a aperçu Rose – puisque c'était pour cette raison qu'il traînait là –, sa mère et son frère Franck qui se dirigeaient vers le fond du magasin comme trois personnes en colère, une famille qui avait des comptes à régler, qui ne voulait pas le faire devant tout le monde mais tenait à exprimer clairement que ça n'allait pas du tout.

Markus s'est planqué au rayon liquide, il les a vus tous les trois marteler le sol pour atteindre le rayon boucherie, on dirait des Tchétchènes, ce fut ce que pensa Markus qui se faisait une idée très personnelle des Tchétchènes, on dirait des Tchétchènes à cause de leurs peaux de lapin, des bonnets à oreilles et des bottes en caoutchouc – on avait l'impression qu'elles étaient fourrées avec du coton ou des sacs plastique, Markus ne voyait pas bien, il s'est dit, ils ont dû y glisser des couteaux crantés, et dans leurs poches, des flingues ventrus –, les Tchétchènes s'égaillèrent, la mère – regard pâle, peau sèche et rose, l'air épuisé d'une femme qui élevait des enfants et des poules sous un climat brutal – accrochée à son chariot, le frère – la mâchoire crispée, une caricature, dessinez-moi un garçon irascible, du nanan pour les rois de la physiognomonie – et la sœur – Rose, la reine des Tchétchènes – se dispersant, quincaillerie, épicerie, boucherie. Markus pensa à se diriger vers Rose, la croiser, la bousculer, être derrière elle au moment où elle aurait besoin d'attraper un paquet de biscuits tout en haut du rayonnage mais il s'arrêta à temps, il remarqua que le frère n'était pas du tout parti jusqu'à la quincaillerie, il malaxait quelque chose – le flingue ventru ? – et il surveillait sa sœur.

Franck était là, au bout du rayon, environné de tout ce bonheur scintillant, pile poil au-dessous d'un renne rigolard et clignotant, il était là, courbé en deux à surveiller sa sœur, Markus n'en revenait pas, ce mec est dingue, se dit-il, il le vit se mettre en marche à petits pas et trottiner dans l'allée parallèle à celle où se trouvait sa sœur, Markus jeta un œil à la mère qui avait stoppé net devant le rayon frais et semblait s'endormir dans le ronronnement réfrigéré, Markus se dit, elle prend des médocs, la mère, elle avait l'air furibarde et là plus rien, on dirait qu'elle a éteint les loupiotes, Markus suivit le frère, il se dit, il va sauter sur Rose, l'agresser au milieu du magasin, du coup Markus ne voyait plus bien Rose, il ne pouvait même pas vérifier si elle portait son jean et son pull, ce qui lui aurait rendu, c'est sûr, la vie plus douce, Markus était obligé d'avoir le frère à l'œil, celui-ci se rongeait les ongles en espionnant sa sœur, ce mec est dingue, il faut que quelqu'un l'arrête, si une grand-mère demande de l'aide à Rose pour attraper des boîtes pour son chien, il est capable de l'étriper, le frère semblait toujours en embuscade commando au milieu du supermarché, Rose ne paraissait être au courant de rien, elle avait les bras chargés de biscuits, de chocolat et de café, Markus s'est dit, je joue le tout pour le tout, il s'est approché de Rose, elle était en train de peser le pour et le contre des boîtes de céréales au miel, Markus est passé près d'elle, elle s'est retournée très lentement, elle ne portait ni son jean ni son pull, elle s'est retournée très lentement vers Markus, elle s'est retrouvée ainsi à présenter son dos à son frère, elle a écarquillé très grands les yeux en regardant Markus, elle a gonflé les joues et lui a fait un clin d'œil, Markus s'est alors rendu compte qu'elle savait que son frère l'épiait, Rose n'a pas perdu ses moyens, elle a fait un nouveau clin d'œil à Markus qui s'est senti pétrifié, qui s'est senti devenir granit ou plus justement quelque chose de calcaire qui aurait pu s'effriter du bout des doigts, Markus n'en revenait pas, Rose savait que son frère la surveillait, la poitrine de Markus s'est gonflée, je vais la sauver s'est-il dit, je vais trouver le moyen de la sortir de là, Rose s'est mise en marche, elle a croisé Markus qui espérait qu'elle allait faire tomber un papier plié en douze dans lequel elle lui dirait quoi faire, rejoins-moi à la carrière cette nuit à 22 heures et évadons-nous ou quelque chose dans ce goût-là, mais Rose n'a laissé tomber aucun papier, elle mâchonnait quelque chose en passant près de lui et Markus était si conscient de sa présence et du désir qu'il avait d'elle, là, présentement, qu'il a pensé qu'elle devait le deviner. Cette idée l'a mis très mal à l'aise. Mais Rose est passée et s'est éloignée. Markus est resté immobile, il a aperçu dans son champ de vision à droite, tout à fait à droite, la silhouette du frère qui sautillait jusqu'aux caisses pour obtenir le meilleur angle de visibilité dans son exercice de cinglé. Alors Markus a soupiré tout doucement en bougeant le moins possible, il a arrêté même de respirer, il a simplement essayé de faire le mort, piégé dans ce supermarché et ses promesses de festins et de plaisirs domestiques.

27

C'est un samedi que Madame Isis m'a annoncé que mon père et ma mère, Markus et Rose, n'avaient jamais couché ensemble. Nous étions dans sa cuisine. Madame Isis me préparait des crêpes. Monsieur Loyal était parti à son cabaret du nu, pour les affaires courantes, ainsi qu'il le mentionnait toujours, je sors, disait-il, je sors pour les affaires courantes, ou alors il disait, je vais au cirque, et moi je jouais le jeu, je demandais, le lion va mieux ?, les trapézistes n'ont plus la varicelle ?, Monsieur Loyal marmonnait en retour ou bien répondait distinctement n'importe quoi, en me regardant pratiquement droit dans les deux yeux, avec la satisfaction évidente de me conter une fable qui allait me protéger ou m'édifier.

Je passais tout ce temps chez Madame Isis. Il faisait froid et gris. Une couleur très spéciale, océanique et vive, le gris des ailes de pigeon. L'hiver dans nos contrées engendre un vent violent qui cogne contre les collines, serpente entre les immeubles et vous soulève de terre comme si vous étiez attachés à un grand cerf-volant qui vous ferait faire de petits sauts dans les airs. L'hiver, je prends du poids pour ne pas m'envoler. Je recouvre les clapiers de mes lapins avec de grandes bâches, je vais leur parler tous les jours, puis je redescends, je me rends à l'Institut où il ne se passe strictement rien, où d'ailleurs j'arrive à ne pas être vraiment là, tant que j'y suis je ferme les portes et les volets de ma cabane, j'hiberne, je marmotte, ils frappent et cognent à la porte et tirent la chevillette, mais je reste muette et tranquille, ils ne sont pas inquiets, je fais toujours ça.

Quand je rentre, je vais directement chez Madame Isis, écouter ce qu'elle a à me dire sur maman et Markus, m'installer dans sa cuisine près du four – les maisons dans nos contrées n'ont pas le chauffage, il fait froid très peu de temps dans l'année, on s'habille un peu plus et on se rassemble dans les cuisines, on laisse la porte du four ouverte et on boit des infusions et on mange des ragoûts d'agneau ou des soupes, des préparations brûlantes qui font suer dans la seconde, qui rendent les yeux ronds et blancs, procurent un voile humide juste au-dessus de la lèvre supérieure, une petite moustache de gouttelettes, on a brutalement très chaud et l'impression d'abriter un brasero dans le creux de la poitrine.

Madame Isis me prépare des choses sucrées, grasses, confiturées, caloriques, moelleuses, dégoulinantes et douces. Elle me devine inconsolable alors elle me choie et saupoudre tout ce qu'elle cuisine d'un nuage vaporeux de sucre glace – une très légère poussière de sucre immaculé qui vole dans toute la pièce. Je regarde l'heure, il est 16 h 25, je fais très attention à l'heure et à la répétition de certains mots, j'écoute le tic et le tac, je me dis qu'aujourd'hui je ne dirai pas chameau (je triche un peu, c'est facile de ne pas dire chameau), j'écoute le tic et le tac, le bruit que fait le gaz qui nous réchauffe les pieds, et qui souffle son haleine vénéneuse dans la petite cuisine carrelée de Madame Isis.

Je dis à Madame Isis que je me souviens de maman qui m'embrassait les cuisses quand j'étais tout bébé. Madame Isis me répond en me servant une assiette – danse de papillons multicolores au milieu des prés peinte avec la bouche par artiste manchot – de crêpes au miel, elle étale le miel sur un demi-centimètre d'épaisseur, la crêpe prend une consistance impossible, il me faut me pencher vers la table et la grignoter directement depuis le bord de l'assiette, en la poussant de la main droite pour la faire pénétrer dans ma bouche, j'évite ainsi un maximum de dégâts, et donc Madame Isis, pendant qu'elle me gave de sucreries qui finiront par me boucher les artères et se stocker dans chaque organe de mon corps, me répond, tu ne peux pas te souvenir de ça, tu étais bien trop petite.

Sa remarque me vexe.

J'insiste, je me souviens parfaitement bien de ça, de maman en train d'embrasser l'intérieur de mes cuisses quand j'étais allongée sur mon lit, je riais et je me recroquevillais, elle disait qu'il n'y avait pas plus doux au monde que les cuisses de Rose, elle me chatouillait le creux des genoux et elle gloussait avec moi.

Madame Isis soupire, elle dit, bien sûr bien sûr.

J'ajoute, je me souviens aussi de Monsieur Loyal qui courait après moi dans l'appartement, qui faisait le tyrannosaure, et je hurlais d'une voix stridente et je riais à m'étouffer et je m'enfuyais et me blottissais dans un coin de ma chambre, il criait, ça sent la chair fraîche, et je comprenais, ça sent la crème fraîche, et je me disais, j'ai une odeur de crème, une odeur de lait douce et écœurante, j'avais les yeux qui roulaient dans toutes les directions, le cœur qui cognait contre les côtes, il m'attrapait, me chargeait sur son épaule et continuait de courir avec son ballot de Rose glapissant.

Madame Isis acquiesce.

Mes histoires l'ennuient.

Je change alors d'orientation, je lui reparle de Rose et de Markus puisque c'est ça qui semble l'intéresser le plus, je réfléchis à une question qui pourrait l'amuser ou la surprendre alors je lui demande, finalement c'est quand qu'ils ont couché ensemble ? Madame

Isis suspend son geste – elle était en train de faire couler une louche de pâte dans la poêle pour faire une crêpe à l'épaisseur et à la consistance parfaites – et elle se tourne vers moi. Elle me regarde droit dans les yeux, la ligne droite est le plus court chemin d'un point à un autre, et elle me dit, ils n'ont jamais couché ensemble.

J'éclate de rire. Je me doutais un peu de sa réponse. Je lui dis, vous savez comme moi que ça n'est pas possible. Elle s'entête. La peau de son cou, ou plutôt la peau qui se situe entre son menton et son cou se met à trembloter comme si quelqu'un s'agitait là-dedans, une rainette qui habiterait son goitre et qui déciderait de faire un peu d'exercice.

Ma Rose, ma jolie, ma Cadillac, mon volubilis (elle veut gagner du temps), ma Rose, il faut te rendre à l'évidence, ton père et ta mère n'ont jamais couché ensemble.

Je rétorque, évidemment Madame Isis, et moi je suis une génération spontanée, le fruit d'une insémination je ne sais quoi, d'une fécondation *in eprouvetto*, je crois que vous vous moquez de moi Madame Isis (elle prend un air offusqué), je ne veux pas savoir comment ils s'y sont pris ni avec quelle fréquence (air choqué) mais je ne comprends pas que vous soyez assez vieux jeu ou assez menteuse ou assez sûre que je suis une parfaite idiote pour oser me raconter de pareilles sornettes (le mot que j'ai choisi d'employer, pourtant désuet et presque attendrissant, la blesse, elle devient rouge – d'un rouge rosé, gracieux, effarouché – et frémissante, alors je repousse ma chaise, me lève dignement, pose ma serviette sur la table et quitte l'appartement de Madame Isis avec toute l'élégance bafouée d'une comtesse souffletée – du moins je l'espère).

28

Markus a revu Rose quelques jours plus tard. Elle était à la pâtisserie de Madame Gerstenberg, elle achetait des chocolats.

C'était une fin d'après-midi. Il faisait déjà nuit. Markus passait dans la rue en se dirigeant vers chez Leroy où il espérait qu'il y aurait un sapin, des guirlandes, peut-être même une crèche pour la petite sœur de Leroy, où la mère de celui-ci aurait préparé des biscuits secs qu'elle rangerait avec méthode dans une boîte en métal – en quinconce – pour qu'ils durent tout le mois de janvier. Markus marchait lentement pour bien montrer au reste du monde que toute cette frénésie festive ne le concernait pas. Et quand il est passé devant la pâtisserie, il a aperçu le vélo de Franck qui était posé contre la vitrine. Sa première pensée fut, les gens sont dingues de faire du vélo par ce temps, ils vont se rompre les vertèbres et les côtes et ils l'auront bien cherché, la deuxième pensée fut, c'est le vélo du cinglé, la troisième, je ne peux pas croire que ce type achète des conneries à la crème. Markus s'est penché vers la vitre pour mieux voir l'intérieur de la boutique et il a vu Rose de dos qui choisissait des chocolats, avec une désinvolture un peu bizarre, de petits gestes de la main droite légèrement péremptoires. Une partie de l'esprit de

Markus a arrêté de fonctionner, il était en roue libre, il l'a attendue.

Quand elle est sortie avec sa boîte à la main – veste chinoise rouge avec lacets sur le côté et arbustes dorés brodés sur les manches, jupe beige en velours côtelé un peu râpé, écharpe tricotée par Rebecca, point mousse distendu, bonnet peau de lapin retournée, bottes en caoutchouc fourrées, oui, avec du coton hydrophile –, Markus s'est dit, je suis amoureux de cette fille, j'ai envie de rester juste à côté d'elle et qu'elle ne s'en aille plus.

Elle a sauté sur le trottoir dans la neige salée sablée, elle l'a reconnu et lui a adressé un sourire à peine surpris en lui disant, Markus ?, c'est fou, j'étais justement en train de t'acheter des chocolats.

Et comme celui-ci ne répondait pas, elle a ajouté, afin de te remercier pour l'autre nuit.

Markus a continué de la regarder comme si elle parlait depuis une version du film dont il n'avait plus le sous-titrage, il avait l'air de s'interroger sur le rapport entre cette boîte de chocolats et sa propre hospitalité.

Elle a dit, je suis contente de te voir.

Ils n'ont pas bougé, pause des marionnettistes, ils sont restés à se regarder, lui tout ballant, ne sachant pas bien quoi faire de ses membres, elle l'index de sa main droite entortillé dans le ruban de la boîte.

J'ai pris le vélo de Franck, il est au Chantier, a-t-elle fini par énoncer.

Markus s'est rendu compte qu'il n'avait toujours rien dit, il ne savait plus comment utiliser ses cordes vocales, il était pris d'un doute harcelant sur l'intérêt de ce qu'il allait dire, il s'est lancé, tu vas bien ? a-t-il dit très doucement, peut-être pour qu'elle se penche en avant ou bien pour utiliser avec prudence sa voix qui lui semblait alors tout à fait déplacée.

Il se sentait palpitant, avec une envie irrépressible de l'embrasser, mais dans l'impossibilité de le faire, les yeux fixés sur ses lèvres, sèches douces projetait-il, respirant à petits coups l'air glacé pour ne pas tomber dans les vapes, y pensant tant à cette tentation de l'embrasser qu'elle en devenait inaccessible, n'osant plus rien, paralysé, se disant, je vais peut-être rester planté là, je ne pourrai peut-être plus jamais bouger d'ici, les gens passeront à côté de moi devant la pâtisserie Gerstenberg pendant des années et diront, tu te souviens, c'était Markus, il est tombé amoureux d'une fille ici même, si violemment qu'il s'est transformé en statue de sel.

Ce fut elle qui dit, ne nous attardons pas.

Elle empoigna son vélo, lui sourit, il faut que nous allions nous réchauffer quelque part. Elle fit un petit geste mystérieux de la main, nous mangerons les chocolats.

Markus se sentait incapable de proposer un endroit, les possibilités tournoyaient dans son esprit mais aucune ne lui semblait appropriée, et plus il était muet, plus il pensait, mais que va-t-elle imaginer ? elle va me prendre pour un demi-crétin.

Retournons à la caravane, dit-elle.

Il avala sa salive.

Il se dit, il faut que nous nous arrêtions en chemin, que je trouve un truc à fumer, que je puisse boire quelque chose de fort, que nous nous perdions en route, que la neige se remette à tomber, que nous soyons pris dans le blizzard, que son cinglé de frère surgisse, il faut que nous ne puissions pas atteindre la caravane, que nous fassions tous les bars du coin, qu'elle tombe, que je m'endorme brutalement sur le trajet, que je fasse un infarctus, qu'un nuage toxique s'abatte sur la ville, que se produise un grand incendie, que les Nord-Coréens attaquent, que ma mère débarque et me demande de l'aide pour sortir sa voiture des congères, il faut que je propose autre chose.

Puis Markus s'est dit, putain j'ai jamais eu aussi peur.

Alors ils ont marché en ville l'un à côté de l'autre, Rose tenait son vélo à la main, puis ils ont avancé le long du petit canal gelé pour rejoindre l'endroit où la caravane mourait tranquillement. Elle a parlé beaucoup, ce qui évitait à Markus de se servir de sa voix et ce qui lui permettait de se laisser bercer, elle a parlé de l'école, de ses frères, de son père, du chargement d'or qu'il avait dérobé, elle a ouvert des portes, déposé toutes sortes de paquets à ses pieds, il entendait sa voix tomber dans la neige, et ce ronronnement parvenait à lui faire reprendre des forces, lui permettait de créer de brefs scénarios pour leur arrivée dans sa chambre, des projections qu'il abandonnait et modifiait au gré de son anxiété.

Quand il a ouvert la porte, espéré casser la clé dans la serrure, réussi tout de même à pénétrer dans la caravane, quand il l'a entendue taper des pieds sur les marches, vue retirer son bonnet, son écharpe, son manteau, son gilet sans manches, son gilet avec manches, ses bottes, il s'est dit, on y est, je ne peux plus rien faire contre ça.

Il l'a prise dans ses bras et l'a embrassée.

Elle a semblé soulagée.

Ils sont allés dans sa chambre, et il lui a d'abord parlé de ce qu'il ressentait pour elle, ça lui semblait crucial, il se répétait, je vais trop vite, mais il ne pouvait en être autrement, il fallait qu'elle sache qu'il pensait à elle sans cesse, que c'était cette tension qui le rendait muet, qu'en d'autres circonstances il pouvait être un garçon très drôle et très loquace, ce qui n'était pas tout à fait vrai. Elle souriait et fumait dans la chambre de Markus, elle a retiré ses collants et lui a dit, je sais tout ça. Elle s'est levée pour l'embrasser et le pousser vers le lit.

Ils ont mis du temps à se déshabiller, chaque vêtement avait une importance spécifique, et ce fut au bout d'une heure qu'ils firent l'amour, et c'était une chose presque insupportable de faire l'amour avec elle, parce que Rose devait baiser des mecs depuis qu'elle avait douze ans, parce qu'il avait lui-même fait quelques tentatives avec une ou deux filles généreuses, parce que Rose avait dû traîner avec tous les affreux du Chantier au grand dam de son frère, parce que Markus était si ému qu'il eût aimé être le premier et qu'elle fût la première, il était bouleversé et se répétait, mais que m'arrive-t-il donc, il se sentait ridicule et radieux, il se disait, je tiens Rose nue dans mes bras, et c'était comme un leitmotiv qui cognait ses tempes, je tiens Rose nue dans mes bras, et même quand elle a recommencé à parler de ses frères, de sa mère, de ces gens cinglés qui lui rendaient la vie impossible, quand elle a parlé de la violence de Franck, en disant, je comprends pourquoi mon père s'est tiré, je vais finir par mettre le feu à cette baraque, et je te jure que ça flambera bien avec toutes leurs réserves d'eau-de-vie, même quand elle a commencé à donner des détails sur les hommes qu'elle avait connus et sur ce qu'elle aimerait faire subir à sa famille, Markus est resté à la contempler et à la comprendre, cette fille, cette Rose lui paraissait limpide et lumineuse, il avait l'impression de pouvoir déchiffrer les circuits de néon dans son corps de verre, toutes ces loupiotes voulaient dire quelque chose et il arrivait à lire les messages qui scintillaient en elle.

Ce fut un grand jour de révélation pour Markus.

Il la regardait, il regardait son visage et il pensait, est-ce que j'aime ce visage. C'était épuisant de l'examiner, elle avait un visage mobile et fuyant, quand il regardait ses yeux, il ne voyait plus sa bouche, et quand il regardait sa bouche, il ne voyait plus ses yeux, il n'arrivait pas à s'en faire une idée précise, il ne réussissait pas à en avoir une vue globale, tout comme il ne faisait que sentir ses pieds sur ses cuisses tandis qu'il avait le menton dans ses cheveux, et cet éparpillement de ses propres sens le laissait perplexe. Il aurait voulu qu'elle se tût, parce que toutes ses révélations le fatiguaient mais il aimait aussi l'écouter parler, et, pendant qu'il se sentait tiraillé entre son besoin de silence et le désir qu'elle occupât tout l'espace clos et bourdonnant de cette soirée neigeuse, elle a continué à lui raconter l'histoire de son père et de ses frères.

Markus n'écoutait pas. Il se disait, je suis amoureux de cette fille, comment vais-je m'y prendre pour qu'elle reste toujours mienne – mais dans un langage approximatif, où son manque de vocabulaire laissait des trous et des flous –, pendant qu'elle parlait, il se disait, j'étais sûr de détester qu'on me pose des pieds froids sur les cuisses, j'étais sûr de détester qu'on me parle sans relâche.

Markus se laissait aller à la rêverie. Peut-être ne pourra-t-elle plus repartir ? Markus s'interrogeait, se projetait quelques heures plus tard, se disait, on va lui faire une petite place ici avec maman, on ira ensemble au lycée et puis moi aussi, j'arrêterai le lycée, je travaillerai à la mine d'or, on aura un peu de fric, une bagnole japonaise, des radiateurs à huile, mais déjà épuisant, le pauvre Markus, le potentiel de jouissance de son projet, se voyant avec elle dans cette caravane, isolés par la neige, coulés dans le ciment pour des décennies, avec des enfants braillards, sa mère à charge, une maladie des bronches et une Rose grasse et lasse dans une blouse en tergal. Ou bien il devinait qu'elle serait le genre de fille qui s'absente de plus en plus et qui finit par partir avec les enfants pour lesquels il ne deviendrait plus qu'un oncle alcoolique et triste, un vague parrain auquel on rend de moins en moins souvent visite. Markus secoua la tête pour pulvériser ses cauchemars. Il arrivait même parfois à se faire pleurer avec ce genre de pensées, cultivant une sorte de délectation pour l'auto-apitoiement, tendance qui tout à la fois le dégoûtait et le ravissait.

Il reprit pied et observa Rose de plus près pour bien photographier son visage quand il aurait besoin de le convoquer pendant les moments de mélancolie ou de solitude. Il le décortiqua, l'étiqueta et l'archiva dans des tiroirs disponibles.

Puis ils refirent l'amour.

Elle lui dit des choses bizarres et crues sur sa queue, le goût de sa queue, sa raideur et sa texture. Il l'écouta et les précisions qu'elle lui donna lui semblèrent choquantes et délicieuses.

Puis elle réenfila ses vêtements laids, refusa gentiment qu'il l'accompagnât avec un tout petit regard paniqué (mon frère sera en ville), lui dit, de toute façon à tout de suite, et repartit par le sentier sous les sapins ployés, avec le vélo à sa droite et la mesure lente de sa démarche.

29

Rose ne réapparut pas pendant une semaine.

Markus vécut en suspension durant tout ce temps.
Il passa par toutes les phases de l'angoisse et du manque, elle m'a abandonné, son frère l'a tuée, elle ne
veut plus me voir, elle a quitté la ville, elle est très
malade.

Il se sentait fiévreux ; il se disait, je ne comprends
pas, on dirait que quelque chose de vénéneux coule
dans mes veines.

Puis il se décida.

C'était le soir de Noël, sa mère avait prévu une
tourte à la viande et de la bière, le programme télé-
visuel habituel avec les stars qui font semblant de
passer le réveillon avec vous alors qu'elles sont
ailleurs. Markus sentait que ce serait trop difficile à
supporter, qu'il allait finir par se blottir en pleurs
dans les bras de sa mère pendant la soirée, par hurler
camisole, ou courir se jeter dans le lac, creuser un
trou dans la glace et plonger à l'intérieur en priant
pour ne plus retrouver la sortie. Il a appelé sa mère
au restaurant, il lui a dit, il faut que je sorte, ne
m'attends pas ce soir, ne t'inquiète pas je ne rentrerai
pas trop tard, il ne lui a pas laissé le temps d'objecter
quoi que ce soit, il savait que sinon elle allait très vite
remarquer qu'il avait passé sa journée à boire des bières seul enfermé dans la caravane et que sa diction

commençait à être pâteuse ou pour le moins très légèrement entravée, comme prudente, les mots s'agençant les uns avec les autres de façon surprenante, il a raccroché, il a enfilé ses rangers, ses gants en cuir (le cadeau de sa mère du Noël précédent), sa veste fourrée des surplus militaires, ajusté la capuche, le froid lui gelait le crâne instantanément à cause de son demi-centimètre de cheveux, et il est sorti de la caravane dans le silence stagnant de cette fin d'après-midi, il y avait juste le cri des corneilles sur les abords du lac qui résonnait comme sous une voûte et le froufrou de la neige dégringolant parfois d'un sapin, Markus se mit en marche dans cette torpeur, il entendait ses pas crisser et lui murmurer comme d'habitude de petits messages mystérieux, ce qu'il entendait à chaque pas ce jour-là, c'était *Insert coins*, et dès que sa ranger s'enfonçait dans la neige, la formule se répétait, *Insert coins*, cela lui permettait de se concentrer sur la constance de sa foulée, il entendait le chuchotis de son pas et son propre souffle qui produisait un son rauque un peu maladif.

Markus a marché le long du canal, il est monté sur la colline derrière le lac, il a contourné la grande étendue gelée qui semblait même à distance exsuder un air glacial et mouillé, une consternation de noyé, une menace qui visait vos poumons et les méandres de votre cerveau, viens donc, viens donc par ici, viens donc les bras chargés de pierres, et avance en mon sein, plonge et repose-toi.

Markus a grimpé sous les sapins vers la maison de Rose. La nuit était tombée, il apercevait les lumières de Milena plus bas vers la droite, il faisait clair, à cause de la lune et de la phosphorescence de la neige. Markus n'était jamais monté jusqu'à la maison de Rose, il savait vaguement dans quelle direction elle se trouvait, c'était la seule bâtisse au bout du chemin, isolée à flanc de coteau, avec la vieille Ford de la mère de Rose à moitié sous le hangar et les poulaillers, les barbelés et les bidons de tôle, Markus savait tout ça, il s'est dit, je m'en vais chercher Rose, je m'en vais sauver Rose.

Le petit bruit de son pas continuait de faire, *Insert coins*, ne variant pas un instant, se rendant à l'harmonie de cette nuit de Noël.

Markus a vu la lumière osciller entre les sapins, il a accéléré sa marche, s'approchant de la clairière, ne sachant encore rien de ce qu'il convenait de faire, devinant simplement qu'il fallait sauver Rose.

Il a avancé vers la première fenêtre illuminée. C'était la cuisine, le repas était préparé, des bougies étaient allumées sur la table, ce qui lui a semblé une mesure très civilisée pour des gens qu'il n'imaginait pas adopter ce genre de coquetterie. Il n'y avait personne. Juste cette lumière très spécifique aux nuits de Noël quand vous êtes dehors et que vous surprenez par une fenêtre la chaleur d'un foyer.

Puis la mère a surgi dans la cuisine, elle est allée vers le four qu'elle a ouvert avec circonspection, elle est restée un moment à regarder comment ça se passait à l'intérieur, elle avait l'air perplexe, sans doute pensait-elle à autre chose en restant ainsi immobile, accroupie devant la gazinière.

Le premier frère est apparu, Charles, l'aîné, le plus pacifique. Il s'est adossé à la table dressée et il a parlé à sa mère, Markus n'entendait rien, il ne faisait que se geler derrière la vitre dans un angle mort, soufflant sur ses mains à travers les gants et piétinant pour que ses pieds ne s'engourdissent pas.

Ce fut à ce moment que Franck débroula dans la cuisine, tirant Rose par un bras.

Markus se sentit défaillir, éprouvant le sens de l'expression, « son sang ne fit qu'un tour », sentant très précisément le trajet de son sang de son cœur à son cœur, une pulsation violente qui irradia ses membres, Franck tenait Rose par le bras, et son geste n'avait rien de tendre, il semblait comme à son habitude au bord d'une grande colère, juste au bord, hésitant à s'immerger totalement, si près de la fureur qu'il était délicat de différencier son état d'un emportement ordinaire, Markus voyait les yeux de Franck sortir de leurs orbites comme si le reste de son corps exerçait une pression excessive, Franck secouait le bras de Rose, ce qui ne paraissait émouvoir ni la mère ni Charles qui s'étaient tournés vers eux avec une lassitude de vieilles épouses. Rose quant à elle se laissait malmener comme s'il ne s'agissait pas d'elle, secoue-moi le corps, je ne suis pas ici, je suis très loin de toi, ceci n'est que ma carcasse, l'essentiel est ailleurs, tu ne peux rien faire contre moi, à part maltraiter mon enveloppe et ma chair. Markus se demanda, est-ce qu'il a déjà essayé de coucher avec elle, est-ce que Franck, pour être si jaloux, ne rêve pas de mettre Rose dans son lit afin d'achever l'ordre des choses ? Markus s'est dit, je crois que je vais hurler, il faut que je fasse quelque chose. Il s'est retourné, a regardé alentour la lueur fantomatique de l'hiver, la silhouette noire des arbres qui semblait absorber et digérer la moindre lumière, il s'est dit, je vais trouver une bûche et assommer ce connard, il a commencé à piétiner, tiraillé entre le désir de s'éloigner pour s'outiller et la peur de ne pas assister à la scène qui se déroulait dans la cuisine, il a fait quelques pas vers le hangar, puis il est revenu en courant, la mère avait récupéré Rose qu'elle tenait par les épaules pendant que Charles semblait vouloir raisonner Franck, pourquoi je n'entends rien de ce qui se dit, pourquoi toute cette histoire est-elle si muette, je devrais discerner leurs cris, Franck se rapprochant de Rose, menaçant, Rose s'esquivant, se détachant du bras de sa mère, se faufilant vers la porte, l'ouvrant à la volée et se retrouvant dehors dans le carré de lumière qui venait de la cuisine et qui tombait à plat, là, sur la neige piétinée, Markus qui ne s'attendait pas à la voir surgir, qui avait l'impression que toute cette scène domestique ne pouvait dépasser les frontières de la maison, qu'allait-il faire de Rose ici auprès de lui, mais à peine s'était-il questionné qu'elle s'était mise à détaler vers le hangar, Franck avait voulu la poursuivre, Charles avait entravé la course de son frère, il l'avait maintenu par le cou et il avait refermé la porte pendant que l'autre glapissait des insanités à l'intention de Rose, des choses qui avaient trait à la baise et à la duplicité.

Markus a couru derrière Rose, il l'a entendue farfouiller dans l'atelier, Rose Rose, disait-il, c'est moi, c'est Markus, elle ne pouvant rien percevoir d'autre que ses propres colère et humiliation, allumant une petite lampe et se retournant, apercevant Markus, ne semblant pas comprendre, puis disant, tu es venu, tu es là, comme si toutes choses devaient aboutir ici, que Markus était la conclusion de son histoire, semblant soulagée, donnant l'impression de vouloir rire et gémir, disant, aide-moi Markus, je vais lui régler son compte, se retournant vers les établis, s'emparant d'un bidon d'essence, Markus déconnectant sa pensée et son libre arbitre, ne désirant qu'une chose, exécuter la volonté de Rose, se disant, de toute façon je rêve, de toute façon demain je me réveillerai avec le radiateur qui cliquette et l'odeur de café fort, Markus prenant le bidon des mains de Rose et se dirigeant avec elle vers la maison, ouvrant le bidon et renversant l'essence autour de la porte et en direction de la cave comme elle le lui indiquait, se rassurant à n'être qu'une mécanique exemplaire entre les mains de Rose, Rose qui brandissait une allumette, l'une de ces longues allumettes qui servent à allumer les feux dans les cheminées, la grattant, illuminant un instant son beau visage de folle, enflammant un papier journal trouvé dans le hangar, et laissant tomber la torche sur le trajet de l'essence renversée, tous deux s'extasiant, lui comme elle, de la beauté du brasier, le feu coulant vers la cave, passant sous la porte et embrasant l'intérieur avec un ouf de béatitude, explosant en une chaleur intense et attaquant maintenant la maison, les étincelles pleuvant sur Markus et Rose qui regardaient le spectacle en se tenant la main, du tissu enflammé virevoltant dans les airs avec des gesticulations fantômes et venant se poser sur la tête de Rose, pendant que la maison brûlait, elle se mettant à hurler, poussant un cri animal, une sorte de plainte rauque qui a remonté le long de la colonne vertébrale de Markus et éclaté en particules crépitantes dans son cerveau, Markus libérant Rose du tissu enflammé mais, ses cheveux continuant de brûler, la basculant au sol pour lui recouvrir le crâne de neige, pendant que la maison brûlait, qu'aucun de ses habitants ne semblait vouloir sortir, Markus dégrisé un instant, se disant, on les a tués, puis se concentrant sur le crâne de Rose, ses cheveux qui se détachaient et tombaient sur la neige, pendant que la maison brûlait, elle comme assommée, endormie, lui la soulevant encore une fois, s'éloignant du brasier et de sa chaleur formidable, pendant que la maison brûlait, se disant, ils ont dû sortir par-derrière, ils ne dormaient pas, ils n'ont pas pu rester dans la maison, et ce fut ce qu'il raconta, cette même nuit, au poste de police quand il fut interrogé après leur avoir amené Rose inconsciente, il dit, ce n'est pas possible, ils n'ont pas pu rester dans la maison sauf à le vouloir vraiment, Markus qui avait abandonné son rêve de cavale pour sauver Rose si c'était possible, pris d'effroi devant l'invraisemblable, protégeant sa douce comme il se devait, elle blessée à la tête, transportée à l'hôpital, avec un tas de circonstances atténuantes en sus, et lui monstrueusement coupable, affalé sur sa chaise, inerte, se disant, c'est ainsi que ma vie s'arrête, secouant la tête comme un hibou, ne répondant aux deux policiers que par, c'est pas possible, pendant que dans son cerveau il n'y avait juste que cette petite phrase qui n'aurait plus à scander la moindre de ses courses, puisque plus jamais il ne courrait Markus, ou seulement entravé, seulement emprisonné, cette petite phrase qui se répétait et qui disait, c'est ainsi que ma vie s'arrête, pendant qu'il ne faisait que répondre aux deux policiers, c'est pas possible, sur plusieurs tons différents, avec des variations subtiles qu'aucun fonctionnaire de police même de bonne volonté n'aurait pu retranscrire.

30

C'était la veille de Noël et je n'avais aucun moyen dorénavant de me forger une conviction, Madame Isis avait trop souvent menti, tergiversé, coupé, rechigné, inventé, et c'était moi qui de force avais extrait cette réalité possible mais improbable de l'adolescence de ma mère, sa gratuité et son assouvissement.

J'avais plongé pour entasser les piles du pont, lancé les cordages et les câbles, observé les bancs de sable, scruté les remous de l'eau, leur tumulte et leur luisance froide. Je faisais tenir et perdurer l'édifice. Je ressentais la nécessité de ce lien.

C'était la veille de Noël.

J'avais préparé dans la journée avec Madame Isis de petits biscuits à la cannelle et au cumin en forme d'étoile, de lune, ou d'ange – il y avait aussi des camions et des kangourous simplement parce que Madame Isis en possédait les emporte-pièce et ne comprenait pas aussi bien que moi l'obligation des formes magiques en ces temps consacrés – et je les avais enrobés de papier aluminium afin de les accrocher dans l'arbre et de les regarder miroiter, si toutefois Monsieur Loyal acceptait que je pusse allumer des bougies près du sapin, pris d'effroi qu'il était par moments à l'idée d'un incendie.

Nous avions décidé de passer le réveillon ensemble, tous les trois, ce qui voulait évoquer un semblant de famille mais qui suggérait plutôt une trinité bancale.

Monsieur Loyal avait promis de rentrer tôt. Je m'étais sentie prise la journée durant dans mon inaptitude à les aimer tous deux, dans mon culte à ma mère volatilisée, le ciel était d'un bleu d'enluminure, ils devinaient tous deux la difficulté que ce serait de passer un Noël sans maman, le ciel était resté d'un bleu d'enluminure et Madame Isis avait papillonné pour m'obliger à me concentrer, m'activer, me fixer sur d'autres pensées que celles qui m'inclinaient à la mélancolie. Un moment j'avais cru qu'ils me prépareraient une surprise, qu'ils l'avaient retrouvée, qu'elle était revenue et que, pour me ménager le Noël le plus inoubliable de ma vie, ils avaient tu l'événement et comploté pour la faire réapparaître dans une boîte en carton géante ceinturée d'un gros nœud rose d'où elle aurait surgi en paillettes et fourrures dans une parodie de vie de garçon enterrée, direction tout droit les orties.

Cette idée me titillait malgré mes résistances, comme une sorte d'idée au second degré qui sourdrait en trompant parfois ma vigilance.

J'essayais de comprendre pourquoi ma mère avait disparu en apprenant le suicide raté de Markus M. – que j'avais, en ce 24 décembre, bien du mal à appeler mon père, malgré l'incomplétude de leur histoire qui lui offrait un vernis de réalité – et je me disais, elle est partie, elle n'avait plus rien à perdre, ce qui n'avait aucun sens mais me semblait d'un romantisme absolu et primitif, je me disais, elle est partie, elle n'avait plus à l'attendre, mais toutes les idées avaient une résonance de comédie dramatique noir et blanc et interdisaient que ma pensée se spécialisât et identifiât les liens un peu lâches et les bizarres agencements de mon puzzle.

Je ne parlais plus à Madame Isis. Je me contentais de décorer notre appartement de la rue du Roi-Charles avec force guirlandes et boules miroir – c'est moi, là, que je vois dans ce décor rouge vif, toute petite et déformée, à la fois naine et obèse, avec ce visage grimaçant dont on ne peut retenir que la démesure de la bouche et la clownerie.

Aujourd'hui serait un jour sans parole.

C'était une sorte d'ascèse que je m'imposais là, quelque chose qui avait bien sûr à voir avec le deuil.

Madame Isis n'a pas semblé formalisée par mon exercice, elle a continué de chantonner et de me donner des ordres simples que j'exécutais diligemment et muettement.

En fin d'après-midi, Monsieur Loyal est rentré, la besace pleine de cadeaux qu'il s'est empressé d'aller cacher dans sa chambre avec une discrétion de saurien de l'ère secondaire, pour en rajouter une couche à propos de la féerie de Noël et son lot de merveilles.

La nuit ne voulait pas tomber, le ciel était toujours d'un bleu vibrionnant. Je me suis contentée d'enfiler une robe blanche en voile, quelque chose de spécialement spectral et d'écouter Monsieur Loyal s'extasier sur nos préparatifs et l'odeur de pintade au four, de cannelle et de cumin dans laquelle baignait l'appartement.

Tout cela était surjoué.

Et je me demandais si j'allais rester jusqu'à la fin du spectacle.

Ce fut juste après, dans la cuisine, que j'entendis Monsieur Loyal dire à Madame Isis qu'un certain Fred, un type du cabaret vraisemblablement, avait perdu tous ses cheveux à la suite de la même infection que celle dont ma mère avait souffert et qui lui avait coûté à elle aussi sa chevelure. Monsieur Loyal tentait de le persuader de porter un couvre-chef ou une moumoute parce que la peau de son crâne faisait peine à voir. Au moment où je captai cette phrase, je passais dans le couloir en tentant d'avoir une démarche particulièrement fantomatique (de grandes enjambées silencieuses sur la pointe des pieds) et stoppai net devant la porte ouverte de la cuisine, sentant s'effondrer, avec un certain ravissement d'ailleurs, l'édifice que j'avais cimenté, maçonné et élevé.

Je me suis dit, ça ne colle pas.

Je l'ai répété tout doucement en regagnant ma chambre à pas prudents. Ça ne colle pas ça ne colle pas ça ne colle pas.

Je me suis assise dans ma chambre garde-manger, j'ai étalé mes voiles tout autour de moi sur le lit et j'ai réfléchi longuement en additionnant les imperfections de ma légende originelle, les événements qui étaient en quantités discrètes – pour les opposer à une suite mathématique continue et idéale et cohérente.

Ça m'a pris pas mal de temps pour y voir clair, Monsieur Loyal et Madame Isis sont venus à plusieurs reprises frapper à la porte de ma chambre, mais je les ai fait patienter avec une petite voix. Aucun des deux n'a eu l'indélicatesse de m'obliger à sortir de mon antre.

J'ai tout posé à plat. Les interrogations des dernières semaines, les infiltrations dans mon bâtiment, les mines antipersonnel disséminées çà et là.

J'ai commencé à énoncer mes toutes nouvelles vérités.

Petit un, la tête de maman n'avait jamais pris feu.

J'avais toujours pris au premier degré cette histoire d'incendie parce qu'elle flattait mes aspirations romanesques. Je voulais que ça se fût passé ainsi. Je luttais d'ailleurs encore contre la réalité. Même s'il ne faisait plus aucun doute qu'il s'était agi d'une pelade carabinée et purulente…

Petit deux, Markus et maman n'avaient jamais baisé.

Je les y avais forcés. J'avais goupillé moi-même leur rencontre dans la caravane. Conséquence du petit deux, Markus n'était pas mon père. Conséquence de la conséquence du petit deux, Markus M. n'avait sans doute jamais existé. J'ai collé mes yeux au plafond et je me suis rendue à l'évidence, cette évidence qui noyautait les fondations de mon histoire depuis des semaines. Markus M. n'était qu'un acteur de faits divers, quelques lignes d'une colonne où l'on colle les dépêches brutes et sans assaisonnement, un nom qui avait séduit Madame Isis et pris sa place dans son délire.

Puis dans le mien.

Le reste coulait de source.

Madame Isis était frapadingue ou mytho ou fabuliste, Monsieur Loyal était bien mon père et maman ne cherchait rien d'autre dans ce journal funeste qu'un nouvel emploi ou un appartement à prendre avec moi (bien entendu) pour quitter Monsieur Loyal (elle avait déjà, me souvenait-il, fait une ou deux tentatives). Quelque chose dans ce goût-là. Je n'avais fait que m'installer dans le conte de Madame Isis.

J'ai pleuré parce que dorénavant maman avait vraiment disparu et que mon père était un homme obèse qui me préparait des cadeaux pour Noël, je me suis sentie tout à coup comme prisonnière dans un pays sous-développé ou dans une contrée où l'on aurait interdit aux femmes d'aller au cinéma.

J'ai dit tout haut, je crois que je ne vais pas pouvoir le supporter.

Et je me suis mise à penser à d'antiques Noëls passés avec ma mère et Monsieur Loyal, où nous n'avions besoin strictement de personne d'autre, où maman étincelait dans ses atours (talons hauts à brides, collier sur corsage échancré genre soie synthétique), avec son sourire si spécial que je me disais toujours, elle sait tout, elle comprend tout, elle n'a pas besoin de nous comme nous avons besoin d'elle, ses bracelets tintaient et on pouvait suivre sa déambulation dans l'appartement rien qu'à l'oreille, elle allumait la radio dans toutes les pièces où c'était possible pour capter des fréquences de chants de Noël, elle continuait de sourire à sa façon si spéciale et je la suivais partout pour n'en jamais perdre une miette.

J'aurais voulu demander pardon à Monsieur Loyal pour si longtemps, depuis quasiment toujours, avoir douté qu'il fût mon père, celui avec le foutre et la bite. J'aurais voulu m'asseoir à ses pieds et lui baiser les orteils pour qu'il me pardonnât d'être si mauvaise et branque, mais il n'aurait rien compris à ses signes d'allégeance et de réparation, il n'aurait pas compris mon désir de rachat, suppliciez-moi, écartelez-moi, je suis si viciée minée torpillée.

Puis je me suis calmée, toute seule dans ma chambre dérobée, j'ai arrêté d'agiter l'intérieur de mon crâne comme une bouteille de bière prête à mousser et exploser, j'ai dit, mon père est bien mon père, je me suis dit, nous entrons dans une nouvelle ère – quelque chose que j'avais entendu dans une fiction radiophonique qui traitait de la découverte de l'Amérique et des caravelles qui voguaient gaillardement –, et je suis allée dans mes voiles me joindre à leur Noël avec pintade, biscuits cannelle et cumin, cadeaux appropriés, parfums, pendentifs métal et perles de verre, disque bossa-nova pour Madame Isis et boucles d'oreilles papillons, je me suis faufilée dans leur Noël, restant collée à Monsieur Loyal toute la soirée, lui ne comprenant pas bien mais manifestement heureux de mon subit attachement, moi souriant avec eux et pardonnant à Madame Isis sa très vieille imagination, la regardant prendre place à table dans sa robe adéquate avec son gros visage luisant, ses paupières bleu éther, ses pommettes de poupée et cette façon si particulière de manger les petites choses à la crème (la petite chose à la crème laissant échapper un dernier souffle et s'affaissant entre les doigts de Madame Isis, quand celle-ci croque dedans, le tout dégoulinant avec paresse, poissant les doigts, les lèvres, les joues de Madame Isis, mais ne me dégoûtant pas pour autant, comprenons-nous bien, me fascinant), je l'ai regardée et je l'ai appelée par-devers moi Madame Folie, ce qui est devenu au cours de la soirée Madame Cinglée. Et j'ai ainsi passé un assez joli Noël avec Madame Cinglée et Monsieur Loyal, à les observer, les apprécier et leur sourire de la façon la plus normale possible.

III

31

Ils ont retrouvé le corps de ma mère – c'est impossible, il faut en convenir, de dire le corps de maman – deux mois plus tard, en février, le 29 février, le jour qui n'apparaît qu'en sautant quatre années.

Son corps était entouré d'un nombre faramineux de fruits et de légumes (quand je l'ai appris, je me suis dit, il aurait fallu les compter, il aurait fallu les compter un à un et les répartir en catégories (fruits à pépins, fruits à noyau, fruits femelles...), la négligence des autorités m'angoissait et me permettait néanmoins de focaliser sur ce qui n'était que le pourtour de l'événement).

Il y avait toutes sortes de fruits, mais surtout des pommes, des poires, des mangues, des kiwis et puis aussi des carottes, des navets, des pommes de terre, de gros oignons rouges.

Maman avait été retrouvée dans une cave au milieu de tous ces organes de fleurs. Les fruits et les légumes étaient rangés dans des cagettes ou bien posés sur le sol avec juste une feuille de papier journal pour les protéger de la terre battue, ils étaient soigneusement alignés pour sécher, se recroqueviller dans l'obscurité, perdre leur eau et ne conserver que leur substance parfaite en la transformant en concentré de substance, comme on pourrait parler de l'extrait d'un parfum.

La cave était sous la boutique de bonbons.

On y accédait depuis l'extérieur par une trappe dans la courette accolée à la boutique. Maman avait fermé le rideau de fer et avant de quitter l'endroit pour rentrer à la maison, elle avait pénétré dans cette cave, la trappe s'était brutalement refermée sur elle et l'avait assommée, elle avait dégringolé l'escalier et s'était cassé le cou en bas des marches au milieu des légumes et des fruits.

(Je me suis dit, il y a tout un tas de gens qui tombent dans des escaliers et qui s'en sortent avec des contusions, des ecchymoses, un petit os fêlé à la rigueur, un os sans importance qui se remet sans qu'on s'en préoccupe vraiment, je me suis dit, comme c'est étrange, maman s'est brisé la nuque, cela ressemble à une chute de vélo, quelque chose d'anodin qui aurait la possibilité de se transformer en drame, qui choisirait l'option « tragédie » après une brève réflexion.)

Les inspecteurs ont découvert rapidement que la cave appartenait à une très vieille dame que ses enfants avaient placée en maison de repos à peu près au moment des faits, qu'elle y conservait des provisions et permettait à maman de se servir dans ses réserves contre de menus services.

Personne n'était descendu dans cet endroit depuis que maman y était tombée face contre terre. Il avait fallu attendre que les enfants de la vieille dame se décident à aller jeter un œil au sous-sol afin de préparer les répartitions d'héritage pour que le corps de ma mère pût être découvert.

Je me suis demandé, est-elle restée intacte au contact de tous ces fruits qui ne s'abîmaient pas, qui ne faisaient que se charger de sucre, séchant doucement dans les ténèbres, est-il possible qu'elle soit demeurée aussi belle qu'à son départ, que la peau de ses joues se soit juste un rien fripée sur le squelette idéal de son crâne. J'ai posé la question à Monsieur

Loyal puisque c'était lui qui avait été appelé pour identifier le corps de ma mère, je lui ai posé la question avant que les inspecteurs ne l'emmènent pour l'interroger plus avant à cause de tous ses mensonges sur le fait que maman était partie rejoindre sa propre mère. Il a eu l'air sûr de lui, ce qui n'arrivait que très rarement, et il m'a répondu, on avait l'impression qu'elle venait juste de s'assoupir, c'était comme si elle faisait un petit somme sur la terre battue de la cave, il m'a semblé pouvoir la réveiller en lui secouant l'épaule ou bien même en lui soufflant dans l'oreille. Alors j'ai souri à mon père, Monsieur Loyal, je lui ai souri pour qu'il sentît que nous allions rester l'un près de l'autre et nager de concert une brasse mesurée, pour qu'il comprît que les inspecteurs ne feraient que le sermonner pour son inconséquence et s'étonner de la précipitation de son désespoir d'homme quitté, j'ai mis dans ce sourire les miroitements pâles de mes filaments électriques, une douceur aiguë et vaillante, j'ai tenté de le rassurer parce que de moi il n'avait jusque-là connu que la tendance somnambule et imprudente, j'ai voulu qu'il sût, même si c'était encore une certitude bredouillante, que j'étais doré-navant résolue à marcher le plus droit possible – que ce fût ou non dans la contre-allée.

Table

Dans la même collection

Véronique Ovaldé
Toutes choses scintillant

« J'aime cet endroit, j'aime ce froid qui me balaie le fond du corps, j'aime cet endroit mais il va falloir que je trouve un moyen d'en sortir. »

Koukdjuak est une île polaire oubliée. Ceux du continent y avaient installé une usine de traitement des déchets radioactifs. Après le Grand Malheur, l'eau, l'air, la terre ont été contaminés. Les enfants sont morts. Tous, sauf Nikko. Au cœur de son monde à l'agonie où les adultes sombrent dans la violence et l'alcool de renne, elle s'imagine princesse et décide que la Nodamycine, qui empoisonne son corps, l'a dotée de pouvoirs magiques...

JL 7730

Véronique Ovaldé
Les hommes en général me plaisent beaucoup

« Je voyais tous les animaux passer dans un silence de songe. J'ai pensé, ils se taisent pour n'alerter personne, ils se sauvent, les animaux se sauvent et je me suis mise à rire tout doucement pour ne pas qu'ils m'entendent et viennent me dévorer. »

Après avoir vu, une nuit, les animaux s'enfuir, Lili va au zoo : sont-ils revenus ? Près des cages, c'est surtout le fantôme d'un homme aimé qu'elle entrevoit. L'animalité du désir et les souvenirs refont surface... Comment l'a-t-il retrouvée ? Tandis que son compagnon, Samuel, rêve de devenir père, elle se laisse consumer par ses sentiments et ses chimères.
Véronique Ovaldé, dans un roman au ton singulier, explore la folie du désir, de l'amour et de la dépendance.

8866

Composition
Nord Compo

Achevé d'imprimer en France (La Flèche)
par **CPI BRODARD ET TAUPIN**
le 27 février 2009. 51583

Dépôt légal février 2009
EAN 9782290354094

EDITIONS J'AI LU
87, quai Panhard-et-Levassor, 75013 Paris

Diffusion France et étranger : Flammarion